Hea富生意學

脫離chur窮打工生涯

必讀之書

郭釗 著

推薦序
天助自助者

環球富人，如巴菲特、Bill Gates、Jeff Bezos，身家可食十世，人人稱羨。

「我有巴菲特 1% 身家，就好滿足了！」

只是每談及全職投機或創業，變臉奇快。

「無糧出，個心好虛，好無安全感！」

講起人生的安全感，隊長想起了《黑天鵝效應》作者塔雷伯 (Nassim Nicholas Taleb)，在《反脆弱》(Antifragile: Things That Gain from Disorder) 中的一個故事：

話說倫敦有兄弟二人，兄為的士司機，弟則貴為銀行部門總裁。後者薪高糧準，出入會所，地位崇高，生活穩定，父母皆視為家中典範。

直至一天，弟弟上班，一進辦公室，立被保安員「挾實」：「限你十分鐘收拾好個人物件，立刻離開。」接近五十歲的總裁弟，發現自己所謂「穩定」的生活，原來跟農場被飼養的走地雞一樣，冬至一到，從此便再不一樣。可恨職場殘酷，天命之年，東山再起，談何容易？養尊處優 N 年，臨老被逼重頭學起，如何過無大公司「餵飼」的生活，可有後悔？

反觀兄收入不穩，今天千五，後天八百，月底搵幾多，三十號 (或三十一號) 先知，但不論景氣，絕不會手停口停，it fluctuates but does not sink (波動無窮，卻不會一鋪清袋)。

故事的微言大義：上班一族，看似穩定，實最危險，何時攞失業救濟，甚至被動退休，全繫於公司、主管一念。反觀投機、從商，看似風險無窮，毫無保障，但如掌握到當中奧義，突圍而出，「我命在我不在天」，反是穩陣萬分。

查實當代年輕人，想獲取達致財務自由的資訊，遠比 20 年前多上億倍。隊長 1997 年大學畢業，之後得閱《窮爸爸 富爸爸》，已奉為神書，及後創業、置業，只能摸著石頭過河，邊蝕邊學。

反觀今日，Youtube 及眾網頁，無窮資訊，唾手可得。但資訊太多，亦有其害。廿年前創業，搜集資訊，仿如搵齊七粒龍珠，勞師動眾，曠持日久。現訊息泛濫，人人好像手執千塊拼圖，卻無框架 (framework)，徒見樹而不見林，事倍而功半矣！

更慘的遇到舌粲蓮花、但立心不良的狗賊，誤墮陷阱，畢生積蓄，化為煙雲。

幸仍得有心人如郭釗，hea 富後不忘傳承，分享經驗，提綱挈領，解答疑難。

承前作《Hea 富學》堂堂大賣之勢，郭兄再撰新作，小弟豈敢不立作推薦呢？「天助自助者，自助人恆助之」，但願此書像廿年前的《窮爸爸 富爸爸》般，啟發一代有志改變自我命運的勇者。

美股隊長 吳瑞麟

https://www.usstockcaptain.com

2021 年 7 月 3 日成文於台北北投陽明山下

推薦序
改變現況的決心

多謝郭釗邀請我為他的新書寫序，書名叫《Hea 富生意學——脫離 chur 窮打工生涯》，我很有同感。香港的教育及風氣，教導年輕人最好穩穩陣陣找個「鐵飯碗」，最好乖乖做齒輪，窮忙一輩子。而英國教育給我的，是創意、堅毅及不怕失敗的勇氣，這就是為何一個黃毛小子，當初敢在被老行尊壟斷的英國升學市場闖出來。

講創業，老實說我並不覺得自己是創業奇才，亦說不上有甚麼必殺技，只是剛好做自己喜歡的事，所以比較得心應手。但如郭釗所講，這本書想讓人了解創業並非想像中艱難、高風險，「但，你一定要有改變現況的決心，一步一步，由打工做起，下一步想做甚麼，如何慢慢建立自己的品牌」。

這份「改變現況的決心」，非常重要。

小時候在香港讀書，成績不好，被老師定義為「壞學生」，父母懷著幫助我改變的決心，9 歲那年將送我到英國。英國教育或許稱不上全球第一，卻注重建立學生軟實力、小班教學因材施教，作為受惠者，我後來創立的英國升學事業，也幫助了與我童年有類似經歷的學生，為他們帶來改變。

創業之始，其實是一次搞笑經歷：一位媽媽在地鐵車廂大聲鬧仔：「衰仔，依家無書讀啦！」兒子身穿九龍塘名校校服，一般人望望便算，我卻多事地走近，「太太，冷靜啲先。冇得喺香港讀書其實都唔緊要，我同英國學校都好熟，或者我可以幫你哋搵間英國學校。」

這位被鬧的兒子，正是我親手送到英國留學的第一位學生，當時我尚未成為升學顧問。因緣際會，又或許是一傳十、十傳百，之後在種種意想不到的場合，我陸續結識了第一批學生：這些在港讀書不成的「垃圾學生」，之後竟然入讀英國 Oundle School、Cheltenham Ladies' College、Downe House 等名校。

曾經有報道形容我白手興家，不敢當，但的確，我由讀書時代已經做「小生意」賺取所需，例如試過在學校「秘撈」賣公仔麵。踏出創業第一步之時，我也問過銀行借錢，有過艱苦的日子，所謂「辦公室」，其實只是四面牆加一張枱。

正因如此，我更重視堅持創業的初心：不可因一時成功而變質。至今，我仍然為每位升學順利的學生感高興。我更為慶幸的是，這路途上再不止我一人，過去幾年，整個英識團隊都在幫助學生實現夢想。

但試問，世上有哪盤生意能一帆風順？新冠肺炎疫情下百業停頓，各地封關、封城，學校停課，英識的升學業務難以不受影響。與其被動地等形勢好轉，我決定開拓英國房地產生意，雖然我對地產、投資不算最在行，但在英多年，對當地住屋文化、房地產買賣還是有一定認識。幸而這份「踩過界」的勇氣，我總算在「疫市」之中創出另一片天。

如果說創業需要「改變現況的決心」，過去一年多，正正是考驗創業者能否堅持這份決心，在惡劣時勢下認清現況，展現靈活應變的勇氣與能耐。

陳思銘 Samuel Chan

九歲負笈英國，十四年後畢業歸來，創辦英識教育。現為升學顧問、英國升學專家、創業家。

推薦序
腦力努力

我和郭釗是不同年紀、不同投資概念，甚至是不同政治理想的人，但因為彼此「和而不同」的討論風度，我們都可以互相啟發到新的觀點，我們相信激烈的討論和互相尊重正是智慧提升的途徑！

很欣賞郭釗的「Hea 富學」概念，雖然我常戲言不少人錯誤解讀有關學說是「少勞多得」，但我仍能與郭老弟共識 Hea 富學其實是提倡「腦力努力」，不應依賴「勞力努力」！對的，鑽研正確方法去工作比「死揼爛砌」有效益得多！

的確，以筆者在商界已奮鬥了第 39 年了，也培訓了不少人才出身，其實絕大多數的人在人生奮鬥過程中其實有七成時間也花了去「兜圈」，即使因為性格的局限而重複犯錯，這正也是郭釗 Hea 富學的理念基礎，「腦力努力」！大家花力氣在正確方法和自身檢討上！共勉之！

誠意向各位推薦《Hea 富生意學——脫離 chur 窮打工生涯》一書！

汪敦敬

祥益地產創辦人兼總裁

推薦序
逃出老鼠圈

「創業好高風險，好辛苦！」如果你和朋友講你想創業，十個中有九個會如此回答。

自己創業初期，已忘了多少個晚上在公司睡覺，公司亦曾試過在執笠邊緣，當然知道這句是真話。

不過我可以肯定的補充：「打工絕對比創業更辛苦，而且風險不比創業低。」因為打工，即使跑得再快，都只是老鼠圈內跑步，看不到出路，只有做到老死，那是漫長而痛苦的折磨，而你和老闆的關係只是一張合約，一旦解除大家各不相干。

與郭 Sir 的相識，是始於 TVB 的一次訪問，他的思路清晰，見解獨到，攀談兩句已經知道是猛人。

每了解他一點，震撼就多一點，他曾形容自己只是個「MK 仔」，讀書成績不佳，家境不好，資源有限，但卻從一手爛牌，變成人生勝利組，我想當中的原因就是 mindset，而他亦是少數不介意分享思維、心法的人。

之前他將 Hea 和富兩個衝突的概念，在《HEA 富學：一天只做 2 小時的創富方程式》中重新融合演繹，已經令人大開眼界，腦洞大開！

今次《Hea 富生意學——脫離 chur 窮打工生涯》相信又會再一次在大家腦中引爆核彈，想要逃出「老鼠圈」，這本書就是你的逃生指南。

施宏毅（施傅）

「我要做富翁」創辦人

辛苦可以一時，
不可辛苦一世

前言
創業呢件事

創業，在香港就是小眾，在書局找不到一本半本有關創業的書，銷量遠不及金融財經心靈旅遊書，但我堅持要出這本書，因我是由創業開始改變自己的人生，多謝施博 Greg 寫的序，他形容我的出身是一副爛牌，其實我也同意。但牌爛更加要用心打好，用心就有出頭天，投資需要本錢， 妄想打份工買吓股票而發達的，我識，我真係識，但少於 3 個，Ironman 可以有一大堆，但有幾多個美股隊長？可以全退休狀態 Hea 住在他理想的國度過生活。By the way，他都是創業家出身。

Greg 比我和隊長勤力，建立「我要做富翁」這樣有規模的教育平台，我搞 FinsightEd 也是基於他的啟發。

Samuel 是我認識 80 後年輕創業家之中最叻仔的，沒有之一。一畢業便創業，在沒有「事業資產」的情況下，利用自己留英的優勢成為「英識教育」升學專家，更加引證創業並無一定法則，重點是「改變現狀的決心」，一手好牌反而令人安於現狀，爛牌有時也不是壞事。他不是好彩，他是很努力。

汪生對我來說是亦師亦友，第一次訪問他，被他與姊姊的創業故事打動，原來當年創業除了講口，仲要講手，每一代創業都有它不為人知的難度，能跨過去，就成為今日香港大西北地區無人不知的「祥益地產」。

套用汪生名言「創業有風險，不創業也有風險」，最初打工受氣做跑腿搵唔到錢，中年擦鞋同事上晒位唔甘心，鬱鬱不得志，臨退休仔大女大冇選擇任人魚肉，這不算是風險？當然，在香港敢於跳出安穩生活的人，不足百分之五，那競爭不是很小嗎？老一輩既得利益者不習慣用腦做生意，因他們也進入 comfort zone，那不是較容易贏嗎？你在自己行業生存了這樣久，你是專業的，相信自己能做到。如連跑贏班老屁股同班鍾意排欖仔的打工仔的志氣也沒有，那麼這本書真的不適合你。

多謝四位朋友為小弟新書寫序，在心中。他們任何一位也在各自的行業出類拔萃，業界內外知名，他們的能力及勤力程度，小弟望塵莫及，餘生只想 Hea 住做小小對社會有意義的事，於願足矣。

最後想多謝亮光出版社，支持香港人創業及給小弟的自由度，不計較銷量支持創業的媒體，在這個地方不是買少見少，是根本沒有。珍惜。

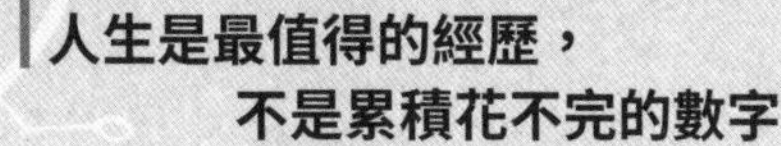

人生是最值得的經歷，

不是累積花不完的數字

自序
致以為沒有選擇的你

自第一本《Hea 富學》出版，竟然喚醒了一個 MK 佬內心教育的一團火，自小是個叛逆少年，長輩的長篇大論不單聽不入耳，有時還特登反其道而行，從而反證上一輩的思想已經落伍。現在我成為了「上一代」，還是認為成功沒有一定方法，但有既定方向，方向為何就要看個人性格背景。如我這種基層家庭出身的平民百姓，與有家庭支撐的富二代，就是兩個完全不同的走法。但最重要，釐清追求的最終目標是甚麼，如果連自己的目的地也模糊不清，在人生路上只會隨波逐流，愈來愈迷失。

Hea 富開宗明義，終極目標是閒暇無事而過著有錢人生活，與坊間的「財務自由」是完全不同的概念，若只用被動收入來抵銷正常開支這目標實在太低了，省吃儉用，除日常工作外，終日研究投資即成。Hea 富要的是個人絕對的自由，由米芝蓮到快餐店，半山豪宅到普通私樓，Toyota 到 Ferrari，商務客位到頭等，住大灣區到六本木，也是自由選擇。人生只是一場經歷，我們都活在一個被預設的框框，可能的話要盡力衝出去，營營役役上班下班養妻活兒不浪費嗎？

老實講，距離我終極目標 Hea 富之路，起碼還有一半路程，現在只是達成我於 28 歲時定下的目標，因這個目的地是會不斷推進，經歷、失敗、改良、成功等會為我指引另一條走向下一個目的地的路。不強求，但必須進步是我的宗旨。人在進步中會得到快樂，求之而不得會帶來痛苦，盡力就可以，暫時沒有機會？ Hea 住等，Enjoy 住等，但不忘充實自己學新事物，多出去走走，觀察世界上的酸甜苦辣，眼光心胸自然廣闊，同時會發覺機會處處。

我教學與寫書的目的是分享和留紀錄，我並不相信存在 100% 成功的金科玉律，甚麼成功方程式、發達系統等都是得啖笑，我單單是想以自身經驗，希望受眾有所啓發，走出一條適合各自的路。

身邊有許多資深投資者朋友，每個月齋收息收租都有 7 位數字那種，他們很喜歡互相切磋討論投資心得，全是真正有料之人，有些曾經在社交網站寫出心得，但被一班誅心論 haters 弄得不高興，他們常常挖苦我 Hea 富，卻在做吃力不討好的事：「無論你如何提醒散戶甚麼是風險與機會，他們也不會改變，甚至惡意留言，亦會得罪人，勞心勞力為乜呢？」我認為做人有時不需要過分「聰明」，要做令自己自豪而應該做的事，一件番茄兩件蛋散講兩句就縮，太睇小我吧。但投資做生意就應該機關算盡，因為市場是殘酷與弱肉強食的世界，稍一不慎便會屍骨無存。

人生最難得的，是找到活著的意義，為此工作就不必太多計較了。偶像黃家駒講過：「雖然世界上很多宣揚和平的歌，仍然有戰亂的存在，但我們仍然要繼續不斷地唱。」有時為理念做事，得到的滿足感，不是賺多少錢可以換回來。所以，我還是會繼續講下去。

自小是窮小子的我，小時候受公公薰陶，要改變人生，就是要做生意，另一邊廂投資亦需要本錢，我認為要先學識賺錢才去投資，是最快改變人生的方法，因為學習賺錢的過程中，會了解到錢的本質，以及不同形式生意的優勢缺點，為未來了解分析投資機會打好基礎。成功的投資者通常都有營運生意的經驗，比起紙上談兵看財務報表聽財演的「分析」，勝算高出太多了，也難怪散戶輸九成，全因視野不同。很多人白天打工晚上研究投資股票，我也試過這階段，根本等同打兩份工，而且業餘對專業，無論多努力，也是徒勞，不能掌控之餘，贏面也太小了，有錢不如交給專家代勞。

寫這本書的另一目的，是想鼓勵年輕人創業及增加選擇機會。國內每年有八百萬個大學生畢業，據統計，每六個人有一個創業，這是自 2015 起的國家政策。每個地方初期經濟起飛，是靠築橋起路，大企業慢慢建立，中後期要發展得以延續，是要靠中小企業，所以「大眾創業，萬眾創新」這口號就是基於這原因出現。而香港，教育制度、社會風氣、老豆教落，都要我們穩打穩紮，找份好工，乖乖地做一粒「齒輪」。你幾時有見過齒輪會不動，因為停就是廢，它亦不能獨立運作，這就是香港人窮忙的原因。不能不做，人無選擇，怎會快樂？從此推演，最後只會是一班不開心的香港人幫內地的創業者打工，慢慢變成整個香港都是打工仔⋯⋯

這本書想各位朋友了解到創業並非想像中的艱難，也沒有想像中的風險。但，你一定要有改變現況的決心，一步一步，由打工做起，下一步想做甚麼，如何慢慢建立自己的品牌，賺很多不敢說，初期一百幾十萬一年應該不難，難得的是換回時間和人生，達成速度就要看你本身的條件。

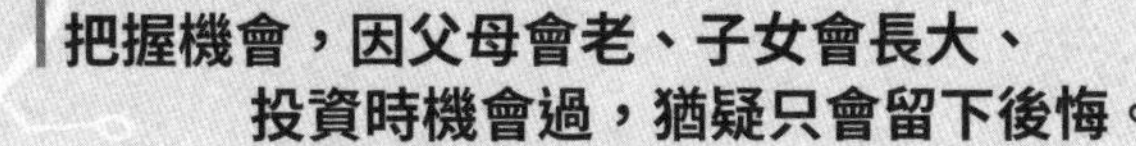

把握機會，因父母會老、子女會長大、
投資時機會過，猶疑只會留下後悔。

contents

Hea 富生意學

education
MAX

chapter
one

Hea富密碼

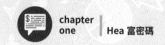

1.1 HEA 富 VS CHUR 窮

自從兩年前寫了《HEA 富學——一天只做 2 小時的創富方程式》一書，「HEA 富」成為一個類別，更從而延伸出另外三個，就是「HEA 窮」、「CHUR 富」和「CHUR 窮」，很多人紛紛自我對號入座，自哀自憐墮入「CHUR 窮」這個無間地獄，不要以為只有打工仔才會「做得多賺得少」，其實大把老闆都

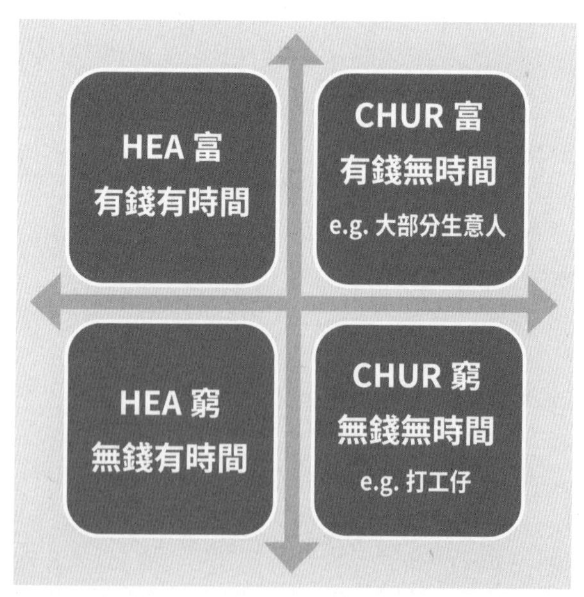

是，視乎其生意模式，有的生意睇少一眼都不能，做到「CHUR富」已是極限。如果你問我「CHUR 窮」還是「HEA 窮」可怕？我的答案是「CHUR 窮」。「HEA 窮」起碼沒有浪費精神體力，甚麼都不做，沒錢很正常，心安理得！其實「CHUR」只是給自己一個藉口，心態大概是「我已搏命工作，沒錢也沒辦法」，怨天怨地都不會想到問題出在自己身上。我真的認識不少人日做十六小時，無時無刻找事來做才有安全感。「方法」注定「結果」：「HEA」不代表效率低，「CHUR」亦不等於有效果，一切取決於「方法」。

「HEA 富」的「富」，即財富，自古以來都有不同解讀。在經濟學上最早給財富下定義的是古希臘著名的史學家、思想家色諾芬（Xenophon，約 430 ～ 354 B.C.），他在其著作《經濟論》一書中寫道：「財富就是具有使用價值的東西。」他認為諸如馬、羊、土地等有實際用處的東西才是財富。其後，古希臘又一位博學多才的思想家亞里士多德（Aristotle，384-322 B.C.）進一步指出：「真正的財富就是由使用價值構成的。」他認為物品具有使用和交換兩種屬性，擁有使用價值的商品互相交換才合情合理，無限度地追求貨幣的貨值則違反自然，社會上一班「CHUR 富」富豪則在做類似行為。

但在世俗的觀念中，人們歷來把商品交換過程中的貨幣因素看得異常重要，並不看重甚麼商品使用價值，以至於進行商品交換的動機，由最初對另一種商品使用價值的需要，演變為純貨幣形式的追逐和佔有。現代社會的大多數人依然相信「金錢就是財富」，不過愈來愈多人認為，財富的價值不在金錢本身，而是它能支援「讓你快樂」的各樣需求。

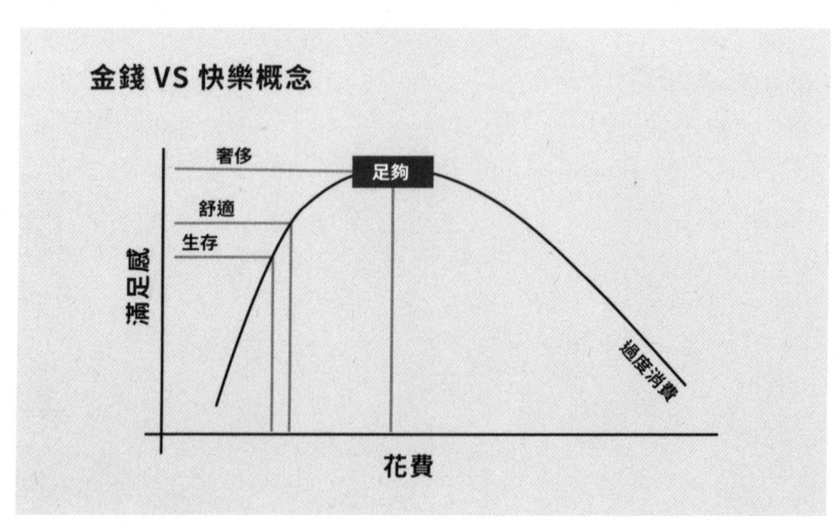

金錢與個人快樂絕對密不可分，但賺幾多才會得到快樂？看似很抽像很深奧的問題，其實只要掌握一個概念，就能找到答案。

月入五萬快樂嗎？

賺錢要先滿足「生存條件」，即解決基本衣食住行生活所需。即是幾多？以香港為例，根據 2016 年尾政府統計處公佈的住戶開支統計調查（每五年進行一次），當中提及香港家庭的每月平均開支為 27,600 元，其中住屋佔 36% 最大份，食品佔 27%，交通佔 7.5%，衣履佔 3.5%，雜項如教育、醫療、電訊服務等佔 15.6%。27,600 元只是一個參考數字，不要執拗「邊夠使」或「多得滯」，每人的必然開支不同，統計處也解釋此調查並沒包含一些「隱性開支」，例如給予父母或已退休家庭成員的生活費、適齡入學子女的額外教育開支等，前者可能一萬幾千搞得掂，後者數目則可大可小，有調查顯示，香港家長投放在子女的教育開支冠絕全球，由小學至大學本科平均支出逾 100 萬元，是全球平均水平的 2 倍。其實求其 Google 一下，多的是圍繞「生存成本」的報道，如「月薪冇四萬點生存？淨係交租都兩萬」、「月入五萬生三個生活搵搵緊」、「夫妻月入十六萬唔夠用」，但又會有人「唔睇戲消夜唱 K，月入六千都夠使」。記住第一階段的重點是「生存」，不要將買 Hermes 送女朋友的開支也撥入這條數。

第二階段，滿足生存之後，就是追求更高的生活水平，令自己活得舒適，可能買架車代步，穿漂亮一點食好一點有一個合理的居住空間，覺得幾百元的風筒吹得慢，有條件買個幾千元的 Dyson，閒時做 facial 打 golf，或者一年去幾次旅行之類。扣除生活費後，在有限的預算中提升生活質素。拿一個著重生活的香港中產人士為例，有調查顯示，計算其住屋、養車、伙食、置裝及其他娛樂費用，每月支出約為 48,500 元；加埋水電煤、電話費等每月開支約 1,500 元，一個月約花 50,000 元。當中，還未計及強積金、保險、家用及稅務等開支，跟上文一樣，此數字只作參考。

第三階段，當達到生活舒適的階段，再進一步就是追求奢華，億萬富豪揮金如土一擲千金的故事多不勝數，例如印度鋼鐵大亨米塔爾（Lakshmi Mittal）為女兒辦了一場花費 5,500 萬歐元的豪華婚禮；特朗普娶梅拉尼婭時訂造了一隻 13 克拉價值 110 萬歐元的鑽戒，用來搭配價值 16.4 萬歐元的 Dior 婚紗；雷諾 F1 賽車車隊總經理布萊托（Flavio Briatore）接送美女一定動用直升機，送名牌必定是限量版；球星 C 朗拿度求其戴隻錶都超過 200 萬歐元，擁有一架價值 3,170 萬歐元的私人飛機，他轉投祖雲達斯後租住的豪華別墅，每晚租金要 5 萬歐元。追求奢華的程度因人而異，大把有錢佬鍾意食鹹魚青菜，總之當你可以無上限地花錢，幾貴都買得起，花得幾誇張都毫無壓力不覺肉赤的時候，你已經達到快樂的頂峰，即是賺夠；再多的話，只會導致生活滿意度下降，情緒幸福感降低，正如再好吃再名貴的美食，天天吃也會變得生厭惡頂，味覺的滿足感會快速下降。

買飛機大炮的確有點離地，貼地少少，去年美國普渡大學（Purdue University）心理科學系研究員德魯．傑布（Andrew Jebb）領導的蓋洛普國際民調，訪問了全球 170 萬人，計算出「最快樂年薪」，全球平均指數為 9.5 萬美元（約 74.1 萬港元），而香港是 11 萬美元（約 85.8 萬港元），相信香港不少打工仔都達到這個門檻，可能快樂，但未必最快樂，始終香港的生活成本冠絕全球是事實，不過參考無妨。

商務法律師最易憂鬱

最後結論是錢愈多愈不快樂，所以我常常強調，錢不求賺最多或更多，賺夠一個數目令我可以取回自主權，有時間做自己喜歡的事就好。很多亞洲父母尤其希望子女當醫生、律師，以為賺到錢，就會快樂，可是根據研究，憂鬱症比例最高的職業，正是商務法律師，做這行報酬很高，是大家眼中的好職業，但不快樂。香港豪門爭產撕破臉鬧上法庭的新聞屢見不鮮，斷估不會愈爭愈家庭和睦父慈子孝吧！如果畫一條橫線，最左邊是 -10，最右邊是＋ 10，-10 是自殺，＋ 10 是你認為的最快樂，沒錢買房子、養小孩，也許處於 -7 至 -8；安全理財則讓你從 -7 走到 0，這不是說讓你快樂，而是讓你不會因為缺錢而不快樂。從 0 到＋ 10，則是用錢去滿足更高層次的慾望和追求，直至達到快樂頂點，至於＋ 10 外的滿足感則超越金錢，HEA 富的理念就是付出最少兼且不辛苦地達到目標。

HEA 富學並不認同坊間投資書所教的，年輕時每節省 1 元，儲存起來兼學習投資，將來的回報是 1 元的數十倍。當然，理財概念愈早學習愈好，但年輕人還是應該學習賺錢，我常說錢是賺回來而不是儲回來。後生仔女精力充沛時代一去不返，為省錢閒在家中太浪費，從小開始培養節吃省用，最後就算賺到錢，多數變成守財奴，只是一個不懂享受生活的賺錢機器而已。但我也不是鼓勵大家揮霍，前題是不可有欠債，每月付清卡數，應該有量入為出的觀念，這對未來人生以至發展生意都非常重要。眼見不少人年輕時欠下卡數，中年生意做得多大，也只是欠銀行愈來愈多，終其一生忙著用七個煲蓋蓋十個煲，這就是惡習性。

1.2
HEA 富密碼（一）：有得揀，還要識得揀！

很遺憾地，這本書一開始就要告訴大家一個「真相」：你阿媽「點」你、你老師「點」你、你老闆「點」你、你老婆「點」你……

一般阿媽教仔：「你努力讀書，將來做醫生、律師，就可以買樓！」

現實是香港樓價持續升了十幾年，荃灣新樓都要過萬六，甚至兩萬元一呎。月入五、六萬的專業人士也埋怨做人難，上車更難；就算上到車，成世也只是為地產商打工的打工仔，手停口停，沒有選擇，何來快樂？

努力就有黃金屋？似乎是無止境的努力！

一般老師勸學生：「你本身很聰明，只不過不夠努力！」

現實是你自己知自己事，沒有讀書天分和方法。

如沒有方法，死讀爛鋤，事倍功半讀到半條人命僅僅入到大學，久而久之，就會養成對「努力」的依賴與沉迷。

沒有人會認真欣賞牛的努力，只會羨慕小鳥的自由，這做法真的聰明？

一般老闆鼓勵員工：「你付出別人不肯付出的努力，自然會得到別人得不到的成果！」

現實是老闆會用各種理由，年年加大目標配額，你次次差少少，就是拿不到獎金。你付出十分努力，卻得到一兩分成果，當你年紀大了，跳槽難了，就這樣被綁一輩子。就算你每次都「努力」跑到數，下年條數只會繼續加大，跟市場的「目標年薪」調整，賺幾多跟市場掛勾，不是跟努力掛勾。

努力就有好「錢」途？似乎只會變成老鼠圈中不停跑的老鼠。

一般老婆罵老公：「你努力遷就一下我，我們便沒架可吵了！」

現實是你死忍爛忍，對方卻變本加厲。

努力忍讓就有美滿婚姻？似乎只會落得惡性循環沒有愛只有恨的下場。

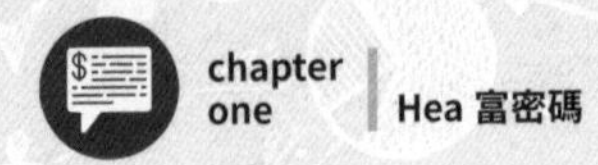

我想大家心裏明白，有些事不是努力就能達到目的，有時選擇比努力更重要。大事先不說，就說拍拖，我有個老友拍拖七年，跟女朋友吵足七年，飲茶叫少一籠叉燒包，都可以演化為你不愛我的大龍鳳，分手執包袱復合無數次，看在眼裏，根本是錯配。有天老友黯然宣佈結婚，我忍不住贈他幾句：「婚姻，與其努力苦苦維繫，不如一開始就做好選擇。」

目標配合選擇

甚麼樣的選擇，帶來甚麼樣的結果；今天的生活，是由五年前或十年前，我們無數的選擇決定；而今天的選擇，也將決定我們五年或十年以後的生活。

有看第一本《HEA 富學》的讀者，應該知道我從六歲開始進入反叛期，唔跟規矩制度做事，自小沉迷波子棋，並相信做事就似玩波子棋一樣，有千萬種方式可選擇來達到目的，努力只是選項的其中之一。但我從不懶於動腦，並往往為想到更輕鬆方式達到目標而自豪，自小家貧，好想發達，眼見好多有錢人都做得很辛苦，或者壓力爆煲，自此日夜苦思「練精學懶」的法門。看似很不切實際，但我發自內心相信「有錢冇命享」是世間上最可怕的詛咒，所以我的原則是：「辛苦可以一時，但不可以一世。」

怎樣做到？答案是配合目標做最好的選擇。

譬如我的目標是「HEA 富」，所以在選擇生意和營運模式時，就必須符合四大法則，包括：

（一）成本高，不做！

（二）沒有爆發力，不做！

（三）沒有控制權，不做！

（四）成功後辛苦，不做！

世上有兩種事業：第一種，你每天很努力累積資源，但當你某天停下來，甚麼也不做，就不會生產任何東西出來；

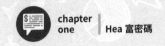

第二種，你同樣努力，但某天當你蹺埋手，之前累積的資源會自動為你工作，即使甚麼也不做也能享受回報。這解釋了為何有些人同樣努力，但若干年後，有的手握幾層太古城收租，有的卻住劏房上車無望，正正是選擇的事業不一樣，努力的質量不一樣。

佐治・魯卡斯退休更能賺

相信大家就算沒看過，都必定聽過《星球大戰》，出品人佐治・魯卡斯（George Lucas）不僅是偉大的電影製作人，更是眼光遠大的生意奇才。1973 年，在開拍《星球大戰》前，因之前執導的電影《美國風情畫》票房大賣，其片酬由原本的 15 萬提升到 50 萬美元，但他與投資方二十世紀霍士再議合約時，沒有要求加人工作為交換，魯卡斯選擇「累積」，透過獨立製作公司 Lucasfilm Ltd. 承包所有電影上映後推出的周邊商品擁有權（包括影像小說化、玩具、服裝、遊戲等），以及保留任何續集的專營權利。當時霍士因為另一套電影的周邊商品銷售失敗，於是輕易便把擁有權轉讓給魯卡斯。

1977 年的《星球大戰》創下電影史上第三高的 28 億美元票房紀錄（扣除通脹後），而在 1977 至 1978 年間，淨計星戰玩具的版權，已為魯卡斯帶來 1 億美元的收入。在 70 年代，這是一個天文數字！由於擁有 100% 的續集專營權，他從其後五集《星戰》的票房中獲得額外 35 億美元報酬，此外 35 年來周邊授權商品的銷售額超過 210 億美元。就是這樣，魯卡斯印印腳收版權費收到手軟，即使 2005 年以後，他多年沒有新作，但身家有增無減，2012 年已高達 33 億美元，而且還未到頂。同年，魯卡斯以 40.5 億美元將 Lucasfilm Ltd. 賣給迪士尼，收割多年成果，踏上退休之路。根據福布斯資料，2020 年魯卡斯的身家約為 70 億美元。如果他當年選擇眼前利益，而放棄為自己累積資產的機會，可能他仍然會很成功，但絕對沒有今天的財富。記住，牛耕田一輩子，沒有一塊田是牛的；上班打工一輩子，沒有一間公司是自己的。

空中服務員的危機

說一下香港情況，曾經是很多人夢寐以求的職業——飛機師、空姐、空少，在新冠肺炎的瘟疫蔓延時，一時間從天上掉落凡間，航空業停擺，沒有選擇下成為失業大軍，脫下「有價有市」的亮麗制服，許多空中服務員突然發現，自己在求職市場上甚麼都不是，甚麼也不懂，對前景十分迷惘；更可悲的是，曾經令人艷羨的身分反而成為包袱。記得看過一個訪問節目，一位外型俊俏的機師，本身月入過十萬，失業數月，馬死落地行，打算轉行做名車 sales，亦順利被聘請，他已有心理準備薪金會大不如前，但勢估不到是「零」——沒有底薪，有生意才有佣金，他立即打退堂鼓。而另一個機師走去應徵 bartender（調酒師），經理見他做過服務行業兼且態度親切有禮，決定聘用，月薪八千，雖然不高，但他明白自己沒有調酒經驗，由低做起實屬正常。可是翌日卻收到對方 WhatsApp 說暫時擱置請人計劃，估計經理擔心他只是騎牛搵馬，疫情一過就會辭職不幹。又有一位空姐，本來找到售貨員工作，返工兩日後被告知無限期放無薪假，等於再度失業，已考獲瑜伽導師證書的她，膽粗粗租一個小型工廈單位私教，為自己製造就業，結果幾千元租金都賺不到，更莫說人工。空姐本身沒有客底是一大問題，其次不能忽視疫情因素，限聚令下學生可能不想外出或沒有心情，在缺乏優勢下貿貿然創業，很大機會連僅剩不多的積蓄也一併輸掉。

空姐、空少的親切笑容和殷勤態度，一直為航空公司品牌累積好感度和顧客忠誠度，至於為自己累積甚麼呢？如果「笑容：A 級甜美」可以寫在履歷表上作為工作經驗，大家就不用這麼頭痕。坊間媒體認為空姐、空少的優勢包括：良好的中英文溝通和危機處理能力，認為會受地產、保險、零售和客戶服務業歡迎，而利嘉閣、美聯物業、友邦、宏利等，均在招聘廣告列明歡迎航空業界人士應徵。說真的，尤其地產界和保險界曾幾何時揀擇過，基本上你有牌肯做有客路，美女又好、大媽又好、新移民都沒所謂，無任歡迎，是否真的認為空姐空少的技能和經驗特別幫到手，我想未必，可能只是宣傳綽頭而已。所以我常說很多打工仔在為公司累積資源，而不是為自己。

不過若然選對行業，不惜一切為自己累積有用的資源，就算起步只是一個公司的小信差，將來可以是一間公司的主席，我說的是中原地產創辦人施永青先生。我曾經跟施生談及其發跡史，70 年代他在一間小型地產發展商工作，擔任信差一職。他自豪地說：「我做 messenger，入職三個月已幫公司賺很

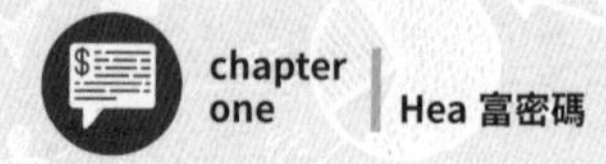

多錢！」除了送信，他的工作還包括影印，「很多地產知識，都是看影印文件學回來，沒多久秘書叫我做埋 filing，全公司文件都可以看。」樓宇買賣合約、按揭流程費用，甚至工程資料，他都睇勻，從而知道公司怎樣運作、對外關係如何、物業買賣流程、市場規律等等。「公司有個樓盤即將開賣，我被吩附影印一份價錢單，當時很想知道公司怎樣訂價，我影多一份給自己，星期日再去地盤實地視察，守衛不准我進入，我就轉去後面街爬街板入去，比較過行家的樓盤和附近二手樓價，竟然被我發現公司訂錯價，賣平了。」自知作為信差，難以約見老闆，於是他拿著建議書在停車場「埋伏」，那次雖然成功為公司賺大錢，但其人工只是由 700 元加到 1,100 元，「加得幾嚿水，我當然係氣唔順啦！」他驚覺只有創業才可以「做幾多攞幾多」，於是辭職創立地產代理公司，這正是中原的起步點。

馬華小子開拓日本貓山王市場

幾年前到東京睇樓，我認識了一位年輕地產中介，他是馬來西亞籍留學生，畢業後留日發展，因他懂廣東話，溝通方便，而且做事負責，所以時常幫襯他。他是典型勤快的馬華，馬來西亞也是我經常考察的地方，故對馬華勤奮的逆反心理，有點體會。大馬一向重土著，輕華人，大馬大學收土著 90%，非土著 10%，這 10% 包括華人、印度人等，所以華人即使成績幾好，都只能望門輕嘆，有志之年輕人通常跑到外地求學求職。

心理學上，如果自小備受打壓，不能在公平的制度下競爭，少數人會自暴自棄，但大部分人會激發出潛力，通常贏在起跑線的人，並不珍惜與生俱來的優勢，就如現今一部分嬌生慣養的中產二代（父母過分溺愛也可要甚麼有甚麼，不一定是超級富有家庭）。留在當地發展的馬華，通常做生意，努力賺錢成為社會的中上階層；因此雖然華人只佔馬來西亞兩成多人口，卻掌握了大約八成的大馬資產。

疫情前曾到東京走一轉，又跟這位年輕人睇樓，提到我早年給他的一個建議，令他今天開創了另一門生意。話說當年他知道我的身分後，主動說出除了地產中介，自己還做一些副業，其中一項是炒日本福袋，有些福袋內的貨品加起來真的物超所值，例如一個 10 萬日元（約 7,000 港元）的蘋果福袋，裏面有 iPad、iPhone，好運的更會抽到 iMac 及其他相連產品。他會上網拆件變賣，輕輕鬆鬆賺到 5 萬日元以上。日本平均工時長，放工後還得應酬，難得的幾天新年假期，他就走去排通宵。為何這麼辛苦？他告訴我家中兄弟多，當初留學的錢只夠買一程機票和一年學費，生活費及餘下學費全靠兼職，每天睡三、四小時已算不錯，十年下來，已習慣了。

當年可能比較八卦，提醒他應該活用自己的事業資產，製造槓桿，用腦力取代勞力。第一，他懂得日語粵語國語英文馬來文；第二，他在老家和日本都有人脈；第三，他身處全亞洲最高消費力的地方，跟馬來西亞相比，貨品是五倍價錢。單靠這三個優勢，已經能夠產出很多生意。舉例，他可以將馬來西亞的房產拿到日本出售，日本是最長壽的民族，人口老化問題嚴重，不少老人在積蓄用盡的情況下晚景淒涼，可利用馬來西亞的第二家園計劃到馬國退休，積蓄可以當五倍用，而房產是其本業，客戶也對他有信任，應該可行。原來他聽我說完，立即坐言起行，跑回老家找樓盤。世事雖難料，但機會肯定是留給肯行動的人，他找樓盤途中，發現到茶葉及榴槤在日本更有市場，現已成為進口這兩種產品的主要供應商，短短三年生意額已過億日元。又一次證明，用腦袋和用盡自身資源，比一味努力更重要。

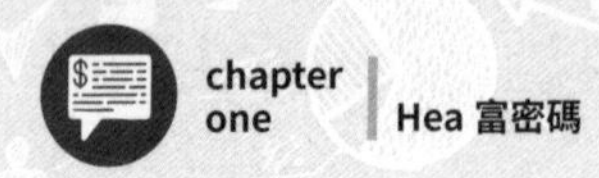

1.3
HEA 富心法（二）：靜靜地贏

我有個朋友很有趣，跟她打麻雀，每當她唸唸有辭「好驚呀！唔知打邊隻好」、「死喇，打呢隻實出沖㗎」、「有冇搞錯，摸極都唔入章」之類的負面說話，通常都是她食大牌的前奏，人人推崇「吸引力法則」，希望想甚麼有甚麼，她反其道而行。而她的「反吸引力法則」更會用在生意上，早前傾偈，她一方面預測 2021 年香港失業率高，營業額將急轉直下，但與此同時又說未來幾個月忙到不得了，要加聘人手，我心想：「你又嚟呢招！？呃我唔到㗎喇！」我笑笑口說了一句：「發達唔好唔記得我呀！」不是說笑，以這種心態做生意真的很大機會發達！

不知道你是否跟我一樣，喜歡閱讀一些關於創業者的報道，看他們如何構思、實踐、面對困難、克服逆境、創造盈利，何其打動人心，對於已創業或計劃創業者，實屬有用資訊。當然文章中不會告訴你這盤生意值得做與否，全靠自己分析，但不能否定一些「標題黨」讀者一見到「月賺十萬」，已經財迷心竅，突然自信爆棚大喊：「啤！好易啫，我都得啦！」繼而甚麼都不想，一頭栽進去，然後由讀者變成被訪者的競爭對手，當然這只限於入場門檻低的生意。

不單止前國家領導人江澤民將「悶聲發大財」納入家訓，實情不知幾多隱形富豪將之視為「人生座右銘」，他們深知道有時候不說話不張揚，更能夠維護保障自己的利益。舉個例，2000 年代，如果說蘋果的代工廠商，大家第一時間會想到富士康、和碩科技，因為它們負責組裝最熱賣的 iPhone；但你可能不知道有一家廠商獨攬了 Apple Watch 和 MacBook 的組裝訂單，它就是廣達電腦，即使在媒體發佈會上，也只暗示一個大客戶將短期內有新品（MacBook Air 和 MacBook Pro）發佈，全程沒有一個員工提到蘋果的名字。

另外內地有一個專門賣假牙的低調製造商，每年盈利超過一億人民幣，假牙有個特點，就是每一隻都不同，須量度訂造，所以利潤超高。訂單來自世界各地的牙科診所，國外下單，中國生產，他們沒有賣廣告，更沒有融資、上市，默默做著別人不知道的東西，而且愈做愈大。

梁思浩被袁詠儀搶生意？

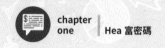

太張揚會怎樣？大家還記得那枝被容祖兒唱紅的「唱 K 神器」嗎？漏斗身形好易認，原裝正版為「途訊」出品，搶手時訂價接近 $600 港元，老闆尤廣國四出接受訪問講述發跡史，隨即出現大量山寨版平搶生意，山寨版 100 蚊有找。這類潮物最忌高調，尤其技術含量不高的，很快引來翻版商垂涎。如果潮物加炒貨就更加不可告人，好似日本潮牌 Supreme，總會有些特定人士有本事搶先拿到未發售的新貨，然後 post 上 Facebook、Instagram 或微博吸 Like，不過通常都是模糊不清或是露出部分衣角的照片，畢竟「走後門」可不是甚麼值得公開的事情，一不小心還可能害到其源頭賠上工作！但有一次某人將 Supreme 當時還未發售的話題聯名之作《喋血雙雄》x Supreme 搶先曝光在社交網頁上，還以大堆頭炫富方式曬冷，絲毫不擔心別人懷疑他的貨源。據知此舉引起不少後門商不滿，揚言要人肉搜尋，更導致 Supreme 各大門店被官方大舉查貨，許多後門渠道也因此無法如期拿到貨而生意泡湯。

相信大家都知道「聰嫂私房甜品」最初是由藝人梁思浩和前香港電台飯堂老闆聰哥、聰嫂合資經營（2016 年梁思浩已出售大部分股份，有傳套現過億港元，現僅持有 0.75%），但沒有見過他做生招牌搏命宣傳，甚至很少在人前提起，連財經雜誌想訪問他亦被拒諸門外，放棄建立企業家形象，寧願做隱形老闆，據聞他已是隱形富豪。他有句格言是「藝人要高調地做，生意要低調地做」，俗語有云「見過鬼怕黑」，他在 2019 年 5 月 3 日曾在網台節目大談廿年前因過分高調被搶生意的經驗，你猜猜對手是誰，居然是行家袁詠儀。

當年 24 歲的他自創一家專為藝人、政客剪報的公司，乃全港首間，他察覺到市場的空隙和潛力，一手一腳由零開始，客仔有林青霞、劉德華、黎明、李嘉欣等大明星，他整理好還親自送貨。他說：「我仲記得青霞姐姐話『你乖呀，自己送貨呀！』」

傳媒大肆宣揚梁思浩建立了一個剪報王國，年少氣盛難怪飄飄然，有財經雜誌訪問他時，記者落重嘴頭讚得他暈陀陀之際，「我乜都講晒畀人聽，呢門生意咁咁咁做，真係十蚊賺九蚊喋，我講得太多，真係諗住分享。」然後有一日他經過報紙檔，見到明報周刊封面有自己個樣，袁詠儀作狀撕爛他的照片，題目是「影后袁詠儀要搶梁思浩剪報生意王國」。翻查報道，1994年袁詠儀的確開過一間名為 Show-biz Information 的剪報公司，被指以極優惠價錢搶走梁思浩大部分藝人客仔，他感慨：「我發覺原來一門生意畀人吹捧得太成功，人哋計到你搵幾多，就會『猴住』你嚿肉。」

有名有利人人都想，但現今香港社會資訊發達，而且經濟體系成熟，往往有一個新興行業或熱潮興起時，小則幾個月內出現同類型競爭對手，重則吸引大財團加入，實行以本傷人。曾經看過「肉餅哥」的報道，老闆開新舖傾租約時，一曝露身分，即被業主反價加租三成兼頂手費由 11 萬變 30 萬，一出名，基本上連業主都想跟你分身家。如果是我，若然找到一門賺錢的生意，第一時間扮窮，話生意難做成本高之類……「唔好扮嘢，見你排晒長龍喎！」幾大都話：「地方細先要排隊啫，大舖位我哋又租唔起。」總之，蛇咬都唔認！

謝霆鋒曝光老闆身分

曾四度當上全球首富的ZARA母公司Inditex創辦人Amancio Ortega，自1975年創業以來異常低調，從不接受媒體訪問，至2001年公司上市時，才拍了唯一一張正式對外發佈的照片。順豐快遞的創辦人王衛，直至順豐有自己的私人飛機的時候，我們甚至還不知道王老闆是甚麼樣子。他不是怕被綁架，只是不會傻到周圍叫人來分他的錢，尤其市場存在大量需求而供應方不多的行業，更需要低調，做生意的最高境界不是你賺了幾多，而是你賺了沒人知！

名人明星出面搞生意就像一把雙面刃，雖然知名度有助快速吸客，節省不少宣傳費，只要用上自己的嘜頭，在社交媒體狂post文post相軟硬兼銷，一定比一般平民百姓容易吸客，起步或較簡單，不過都要看生意類型。但將自己的名聲押在一門生意上，就不是人氣加產品/服務，一加一等於二般簡單，一加一可以等於零甚至負數。珍妮賣曲奇與謝霆鋒賣曲奇，後者一定備受大眾關注得多，個人名氣愈大，外間愈印象深刻，消費者甚至更加挑剔。其他品牌可能「一般鬆化」已經過骨，謝霆鋒出品的，就要「超級鬆化」才達標，而且一有負面消息傳出，可能就會被放大好幾倍——當看到「謝霆鋒『鋒味曲奇』被驗出致癌物　阿嬌還拿來當喜餅」、「鋒味曲奇下架 霆鋒堅稱安全」等報紙標題（2019 年 1 月 15 日消費者委員會公佈市面上 58 款曲奇及甜酥餅中，有 51 款檢出含有基因致癌物丙烯酰胺，而「鋒味曲奇」在名單上），真的會嚇一跳。基於一般人對明星只懂演戲不懂營商的偏見，加上「憎人富貴」心態，自然偏向相信傳媒發放的內容，謝霆鋒之後立即廣發聲明寫微博拍短片澄清，他早前接受電視訪問說：「報告沒有詳細說明吃多少份量才有問題，而『鋒味曲奇』在此次檢測中致癌成分是很低的，可能我做幕前工作，媒體會以我的品牌作為標題，所以很不公平。」我曾在無線節目訪問他，對此事他仍忿忿不平，我以為在是非圈長大的他已經習慣面對不同的攻擊和負評，原來不是，看來這個品牌，注定成也霆鋒，敗也霆鋒。

他 22 歲（2003 年）時創辦的影像後期製作公司「Po 朝霆」，初期只有圈內人知道，直至 2011 年才對外公開自己是老闆，普羅大眾都十分驚訝。在低調經營的八年間，發展相當迅速，公司由十數名員工慢慢擴展成過百，市場佔有率一度超過五成，先後在北京和上海成立分公司。謝霆鋒接受內地傳媒訪問時曾表示公司一年淨賺一億，「Po 朝霆」曾經是一個香港神話。自從他商人的身分曝光了後，唔知咁啱定巧合，「Po 朝霆」的香港業務開始下滑，有報道指 2013 和 2014 年已蝕了四、五千萬。他曾解釋主因是公司趕不上數碼科技轉型的步伐，2015 年裁員，2016 年數字王國以價值 1.14 億的股票收購 Po 朝霆 85% 股權，謝霆鋒終卸下包袱。

袁彌明上市前低調

前港姐袁彌明搞美容生意不高調嗎？為何可以搞到上市呢？她的確曾經在幕前發展，但成績平平，沒拿過甚麼獎項，演出機會亦不多；反而 2007 年被無線電視解約，她炮轟大台的制度，令公眾對其敢言一面留下深刻印象。之後她一度從政擔任屬反對派的政黨主席，雖然坊間存在不少非議，指摘她「博出位」，但一步一步建立出女強人形象，比起藝人，更有個性。再者，她是第一代的 Beauty YouTuber，在網絡上勤力地發佈影片，將複雜的營養、護膚品成分知識，深入淺出地在影片中講解，日積月累，大家不再覺得是一個明星教精大家，而是一個美容專家，當中的認同感和接受程度已有很大分別。其實彌明生活百貨（8473）於 2018 年 2 月上市前，她很少接受傳媒專訪談及生意經，由 2009 年開始第一間樓上舖，分店低調地開完一間又一間，上市前已開了九間，相信很多人都不知道。當大家意識到時，她已站穩陣腳，今時今日她可以高調地說：「開實體店的這九年來從未虧錢，淨利率多達百分之十。」唔講到咁好賺，你怎會買她的股票呢？！

成功商人都明白深藏不露，是智謀。過分張揚，只會經受更多的風吹雨打，暴露在外的椽子自然會先腐爛。低調處事，進可攻、退可守，看似平淡，實則高深的處世謀略。大智若愚，乃養晦之術，重點是「若」字，「若」設計了巨大的假象，掩飾真實的野心、智慧、聲望、感情。這種甘為愚鈍、甘當弱者的低調做人術，實際上是精於算計的隱藏，毛羽不豐時，低調往往能讓對手忽視，然後不斷變強變大。

當處於談判時，不多言，不露聲色，不表明態度，對手唔知你開邊瓣，反能殺對手一個措手不及。寧可有為而示無為，萬不可無為示有為，本來糊塗反裝聰明，這樣就會弄巧反拙。

GoGoVan與中資合併成為港產獨角獸，創辦人成為大紅人，其言論一度惹來不少批評。我不認識他，但身邊很多朋友認識他，在他們口中得知其經歷，能走到今天真的不容易。可能有感而發或公關技巧不足，說了「買樓我冇今日」，接連得罪供樓的年輕人，為此不少人響應delete GoGoVan App大行動，可能他只想老實回答問題，但作為一位市值十億港元的公司主席，不能太政治冷感。其話中意思正如一個節衣縮食買樓的人，跟一個喜歡環遊世界而沒物業的朋友說：「如果去旅行，我冇今日。」就算是事實，也一定令朋友反感。其實每個人的重複成功模式都不盡相同，有人買物業，有人做生意，有人靠賭博（唔好以為冇，Lalamove老闆就有七年時間靠Poker為生），有人靠樣，有人靠勤力，甚至有人靠擦鞋上位。如我，就靠鑽研自由度大的生意和投資，這亦可稱為際遇，跟性格及出身有極大關係；但作為一個成熟而顧及對方感受的人，你愈成功，就愈要小心說話，不應有意或無意侵犯他人的「成功模式」，因為這很容易予人一朝得志的感覺，所以做生意幾成功都好，最緊要知道何時高調，何時低調，何時說甚麼，何時不說甚麼。

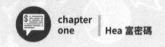

1.4 HEA 富密碼（三）：Comfort Zone 不 comfort

我有一個理論，就是每一個人，都只會隨著自己曾經成功的方法，不斷重複又重複的走下去。當然漫長人生路，會從錯誤中學習，然後改進，但方式及心法都是老一套，像炒股專家，如果因為炒細價股贏過大錢，便會繼續鑽研，可能會因一次失誤而輸身家，但如果他有翻身之日，十之八九都是靠股票。我有一位老友，他做生意的方式極為進取，有前冇後打死罷就，一門生意賺到錢，就繼續開另一門，當中浪費不少金錢，別人常勸他賺到錢不如買物業，他買回來又全按給銀行再搏過。他幾次在破產邊緣，但亦因為他的進取，往往在最後一刻斷氣之前，其中一門新生意跑出，又令他翻到身。

懂得做生意的人，都說他的經營模式非常不健康，但他用這套模式由小本經營，生存到現在一年做幾億生意額，我諗就算經營之神松下幸之助或者馬雲走出來指點他，他也只會點頭稱是，然後繼續用自己的方法。不是因為他自大或不思長進，而是人總走不出慣性，他覺得這樣做最安全，即所謂的 Comfort Zone。他覺得搵大錢就是要抌錢抌人擴大規模，公司愈多人，他就愈安心；但實情是學小丸子話齋「問題天天都多」，間中就聽到他吐苦水說邊個邊個亂使錢宣傳，邊個邊個蠢得交關幫唔到手，邊個邊個仲穿櫃桶底嗦。本身這盤生意已夠複雜，還要解決人事問題，真的一日幾多小時都不夠用。所以在我眼中，他的 Comfort Zone 一點都不 comfort，這就是習慣性的可怕。

日做十幾小時的舒適圈

已故 759 阿信屋創辦人林偉駿乃電子線圈廠佬出身，習慣薄利多銷的經營模式，亦習慣落手落腳事必親躬。當他轉投零售業賣零食，繼續沿用薄利多銷策略，2015 年的純利率只有 1.3%，的確殺出新血路，一度打破超市壟斷的局面，繼而以驚人速度狂開分店。可是日韓零食行業易受舖租、外匯及人力成本波動等因素影響，近幾年市場不斷新增不同規模之零食店或中小型商店，使原已競爭激烈的市場更趨複雜，在艱苦經營下，母公司 CEC 國際（0759）的 2015/16 年業績慘蝕 2,971.5 萬元，2016/17 年蝕近 5,000 萬，2017/18 年蝕 3,287 萬。而林老闆的年薪只是 130 萬左右，月薪 10 萬多少少，不少香港打工仔都賺到這個數目，但林老闆肩負的壓力不為外人道。他曾說為業績勞心勞力日瞓四小時，連訂貨排船期等瑣碎事務也堅持親力親為，明顯他覺得全力拼搏，心裏才覺得安穩，我當然極為佩服林老闆這樣的創業者和守業者，其毅力及魄力實屬萬中無一。

我有一個朋友做食肆賣海南雞飯，舖位細細常常爆滿，他每天工作簡單，不用落手落腳斬雞洗碗，坐在收銀機前收錢和指揮這個那個做這做那，只不過工作時間較長，朝九晚十一，扣除成本可以給自己五、六萬元月薪，有層樓有架車，叫做比上不足比下有餘。太太叫他學習投資錢搵錢，他耍手擰頭，覺得現正處於穩定階段，這間舖就是他的 Comfort Zone。如果這間舖是他的物業，還可以理解，但他只是租戶，只要業主見到他生意好，就必然加租，利潤只會不斷被侵蝕。就算業主好心放他一馬，日做十幾個鐘又食無定時，萬一身體被累垮了，如果沒有足夠生活的被動收入，將會是一個很大的危機，我不是說笑。

自降身價都冇用

打工的，更加不會有甚麼 Comfort Zone 可言，就算你以為有，也只是假象。你上香港討論區看看，大量網友開題分享被裁感受，尤以四十歲以上中高層人士為主，如「四十以上搵工好難」、「五十歲，好徬徨」、「失業被炒被裁打氣互助區」等等，其中一個四十歲女網友本是採購中層管理，被裁後待業幾個月，將薪金要求由 30K 減到 20K，也沒有公司肯聘請，見工時曾被 Department Head 多次提及她「年紀大」，還說怕她會抱著騎牛搵馬心態，不會長做。最後她慨嘆：「有時你肯放低身段人哋都唔請，寧願要個冇乜經驗嘅後生。」

另一個男網友 45 歲任職經理級，月薪約 4 萬，因心感工作壓力太大，精神上負荷不來，不時心臟狂跳，胃痛難忍，害怕有朝一日像前上司般突然暈倒，被白車送入醫院通波仔。顧及自己經濟負擔不算沉重，住的單位已供斷，亦無兒無女，故為健康著想毅然辭職，計劃另覓一份沒甚壓力的工作，人工少一半也在所不惜。本以為自己心頭咁低，應該難度不高，怎料面試幾次，對方都說：「你搵開四萬，依家嚟搵萬幾兩萬係咪玩嘢，做開經理走嚟做嘅係咪玩嘢……」有網友抵死回應：「重點係無論出四皮或兩皮班老細都係想請個奴隸。」不過也有網友好心提醒：「小弟都係管理層，其實你咁搵工好多人都未必請，唔係人工問題同做幾多嘢，係你有一種『唔休做』心態，你都知做人阿頭，有時都要逼伙記出盡 200%，但同時又要等佢哋心態正常唔好辭工，Training 要成本，一個唔休做嘅伙記你未必叫得郁佢。」作為打工仔，無論升職加薪，降職減薪，都不是你能決定，何來 Comfort Zone ？

我有幾個舊同學已是公司高層，都是七十後，不約而同在近幾年面臨再就業的難題，上有高堂，下有子女，還要供車供樓，英國經濟學人智庫公佈 2019 年《全球生活成本調查報告》，結果顯示在全球 133 個城市中，香港由 2018 年的全球第四，躍升至與新加坡和巴黎並列第一，中年失業的經濟和精神壓力有幾沉重可想而知。跟他們傾談，明顯感到大家對突然失業的心理準備不足，對市場變化認知不足，對自己專業外的知識更不足，老是在面試別人，很久沒被別人評頭品足。面試求職技巧生疏，對就業市場的渠道和工具也陌生，慢慢陷入焦急、慌亂、不自信，屢次面試失敗，開始自我否定、自我迷失。

跨出 vs 擴大 Comfort Zone

其實 Comfort Zone 是不是真的 comfort，真的很難說。也許所謂的 comfort，只是習慣而已，習慣日做十幾個鐘，習慣沒時間陪子女，習慣坐冷氣房捽 Sales 數，習慣被上司捽數，習慣賺取毛利 3%，習慣業主無理加租……有時人會沉迷於重複不斷的痛苦之中，這只是你一向賴以生存而不想改變的模式，把它變成自己的 Comfort Zone 不願離開，因為害怕做自己不習慣的事。先旨聲明，我不覺得留在 Comfort Zone 有甚麼不好，只要那是真正的 comfort，你真的累積優勢，過著自己理想的生活，取回生命的自主權和選擇權，不用向現實低頭折腰，那實在沒必要離開。這時候要做的是善用自己的優勢擴大 Comfort Zone，好似我做做吓生意，有朋友提議我寫書分享營商投資經驗和看法，完成後開始寫報紙雜誌專欄開講座之類，變了半個 KOL，開始時也不習慣，但是有新鮮感有挑戰性，而且不是用來賺錢養家，而是追求分享的快樂。

跨出 Comfort Zone 與擴大 Comfort Zone 的差別在哪裏？前者需要「勇氣」，後者需要「洞察」，但兩者都需要「規劃」

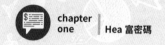

與「行動」。比如說想做生意，你大可邊打工邊開始，當賺到的錢超過正職收入時才辭職，這是擴大 Comfort Zone 的概念；若果毅然離開職場成為老闆，這就是跨出 Comfort Zone，生存率會下降。

有理無理叫人跳出 Comfort Zone，無時無刻喊著不改變不成功的口號，只是心靈導師、保險、傳銷、Sales 等用來激勵學生或員工的慣用手法，認為人要接受挑戰才會成長，有些導師會要求學員上街做一些不要臉的事，例如在天橋演講、向路人借錢，甚至食由甲，聲稱有助激發潛能。其實不用如此麻煩，只要你窮到冇飯開，潛能自然要幾澎湃有幾澎湃。我頗抗拒這類口號式的激勵課程，所以我主導的 HEA 富班，主力教方法，我始終認為連發達都需要別人激勵的人，根本不可能發達。

其實追求舒適安穩是人類以至於所有生物的本性，生存以外，沒有動物會無緣無故走去冒險。有些生物之所以生活在極端環境和氣候，不是為了尋找新經驗或刺激，而是求存，把一頭慣於生活在冰天雪地的北極熊放在熱帶森林，牠很快就會冇命。所以，如果你找到真正的 Comfort Zone，擴大它吧，因為 Comfort Zone 愈大，生存能力愈強，而且過得愈舒適。

1.5
HEA 富密碼（四）：解決打工迷思和心態

祥益地產總裁汪敦敬常說：「買樓有風險，不買也有風險」，我認為這概念同樣可以套在生意上，「創業有風險，不創業也有風險」，普遍人有一個迷思，就是打工穩陣過做生意，只是他們沒有真正計算過打工和創業的成本而已。

做生意只需要為自己的決定負責任，打工卻可能成為老闆的代罪羔羊，即使你不認同他的決定，也要被迫執行。最後行不通時，老闆未必認為自己決策錯誤，反而指摘你辦事不力，輕則留下壞印象升職加薪無望，重則被炒魷。打工本身，正常是隨著經驗成績增長而提升薪酬職位，愈做愈墮落，豈不浪費時間精力，這也是成本。創業要面對市場和經濟風險，打工也不能倖免，當行業面對不景氣，公司蝕錢，一定關打工仔事，可能減人工，可能被裁，有幸留低卻一個人做三個人的工作，變相被剋扣人工，無形中提高了打工的成本，而且打工還要處理人事關係、宮廷內鬥、派系紛爭等等，同樣需要花時間精力。

打工不是零風險

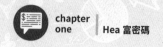

從某種程度上說，打工是在燃燒青春，當生病、年老不能工作時，收入會減少，生活便會失去保障。創業不同，是在建立管道，為的是讓收入如自來水管的水一樣，不管甚麼時候，都能源源不絕的流進來，並且惠及子子孫孫，像李嘉誠、李兆基、劉鑾雄、呂志和等過百億美金身家的富豪級別，難以估計可以食幾多代。

可能你會問：「創業成功就話光宗耀祖啫，生意失敗，分分鐘渣都冇，老闆炒我，最多東家唔打打西家。」你說的沒錯，我不是否定創業沒有風險，只是說打工也不是零風險，你可能找到一份人工低過以前、工作多過以前、老闆衰過以前的工作，或者待業幾個月、甚至一年才找到新工亦很平常。加上外地人才流入，中年危機來得愈來愈早，更不在話下。當創業者失敗了，同樣可以開始另一門生意，之前的教訓和經驗，可以為新嘗試提供很好的借鑑，大大提高成功率，創業的優勢在於有累積。

而且大多數說創業風險大的人，僅僅從金錢角度來看問題，並沒有從心理狀態來分析。創業者壓力大，因為有機會輸錢輸面輸人心，但打工仔也不全是冇嘢輸冇所謂，逛逛書局，大量關於職場減壓的書籍，有教打工仔情緒管理的，有教做舒壓運動的，有循科學心理分析的，有教抗壓食療的，各式其式應有盡有。壓力有來自老闆，亦有來自自己，可謂無處不在，始終薪水是別人給的，心裏總會有一種不踏實的感覺。你以為工資低職位低的人才怕丟飯碗，錯，高薪厚職的更害怕，因為你不做侍應，可以轉做洗碗工，其實人工地位差不多；但一個財務總監很難接受自己做一個的士司機，就算賺的錢差不多，也覺得馬死落地行也有個限度。近年疑因工作壓力而焦慮、抑鬱甚至尋死的新聞愈來愈多，很有可能，上班族的壓力不比創業者為少。

總之，創業和打工是兩種生存狀態，風險共存，高低因人而異。但絕非創業就是強者，打工就是貪圖安逸，這是太片面的說法。不過無論創業或打工，最重要是心態。

你想改變人生嗎？

問一下，你是抱著甚麼心態打工呢？「做又三十六，唔做又三十六」、「返工等放工，放工等放假」、「老闆賺錢關我咩事」、「射波乃人之常情」……

坊間形容以上種種為「打工仔心態」，聽落都知唔慌好嘢，馬雲亦說過：「不要讓『打工（仔）心態』毀掉你的人生。」可能你會想：「馬雲係老闆，梗係想員工為佢搏命啦！」的確，若員工將工作當成自己生意來做，我想沒有哪個老闆會抗拒，那是否老闆們集體造謠，以「人生毀了」、「晉升無望」、「遲早淘汰」等論調來恐嚇打工仔呢？

我不是一出世就是老闆，所以相當理解打工仔思維，打工階段是 95% 人的必經之路，雖然對於很多人來說，打工的第一目的是賺錢，給幾多錢幹多少活，但對於想成就一番事業的人，第一目的應該是學習，包括專業技術、組織和辦事能力、儲備商場、社會、人生經驗等。其實某程度上打工幾著數，用老闆錢來學習，假以時日有毛有翼，想繼續做公司的勞動力又得，或創業做老闆亦得，給自己多一個選擇有甚麼不好，重點是公司幫你交完學費，你拍拍屁股就走得。

我有個經營物流生意的老友，十年間愈做愈大，全球員工超過 400 人，但他經常跟我呻請人超難，最頭痛是每每用三幾年時間培育一個部門主管出來，期間給他時間去撞板，給他機會去改過，公司硬食所有損失，終於等到一切運作暢順之時，對方就遞信話有諗頭要創業誓要出人頭地，沒理由阻人發達㗎，後尾知道所謂的諗頭跟他在其公司負責的業務有密切關係，你話我朋友怎能不氣餒！？

我覺得每個人的處境，並不受制於金錢，而是受制於觀念。以創業心態打工，即使在同一崗位，你會看到不同的光景，夠聰明甚至發現新商機。滴滴前高級副總裁俞軍，再之前是百度的產品副總裁，他是百度搜尋引擎產品的真正靈魂，人稱「百度貼吧之父」。俞軍是上海人，他最廣為人知的是當年去北京求職的簡歷，讓他得到了百度一個普通產品經理的職位。簡歷其中一段是這樣寫的：「長期想踏入搜尋引擎業，無奈欲投無門，心下甚急，故有此文。如有公司想做最好的中文搜尋，誠意乞一

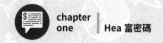

參與機會。本人熱愛搜尋成痴，只要是做搜尋，不計較地域（無論天南海北，刀山火海），不計較職位（無論高低貴賤一線二線，與搜尋相關即可），不計較薪水（可維持個人當地衣食住行即是底線），不計較工作強度（反正已習慣了每日14小時工作制）。」俞軍雖然作為員工，但是他清楚明白知道自己究竟想要甚麼，他只看重百度提供給他的平台，可以實現自己的抱負，其他一切，都可以讓步。以創業心態工作，就是要聚焦長遠目標，看淡眼前利益。

打工仔愛找藉口

另一個創業心態和打工仔心態的分別，就是前者解決問題，後者解釋原因。舉個例，早前我吩咐一位 shipping 同事阿珍將一批貨運去美國，不夠 15 分鐘她就走來跟我說：「Book 唔到櫃走唔到貨，不如你度下一個期我再問吓！」我心諗：「全香港船公司都爆櫃咁好生意？」正想開口「點醒」她，另一個同事阿蓮就話想試吓，我見她連續打了三個鐘頭電話，終於搞掂準時出貨。其實這與工作能力高低沒太大關係，只是一個肯努力解決問題，另一個只會找藉口，求其話「冇櫃」來解釋辦不到的原因。如果將來兩人做生意，阿蓮的成功率必然較高，因為她會發動每一個腦細胞，嘗試每一種方法，用盡每一個人脈，在事情搞砸之前成功搞定。至於阿珍已養成懶於思考，責任感低落；最為關鍵是，看問題的視角變得悲觀，總是站在受害人的角度思考問題，結果自己也變得自卑，很容易做甚麼都失敗。

前微軟中國公司總裁唐駿回憶他的工作生涯：「當年我進入微軟時，只是一個寫原始碼編軟體的普通工程師，我只能認為自己在公司排名倒數第一，事實上也是倒數第一。但我工作時的心態，就彷彿我是公司董事會成員一般，不僅做好自己的本職工作，還提出問題，並給出解決方案。最重要的是，我還論證出方案的可行性。」

抱有打工仔心態的人，不僅在職場上很難被重用，就算做老闆，也永遠只是個打工仔。我有個好鍾意做生意的朋友阿強，早前 WhatsApp 我說經營不夠一年的零食店執笠了，其實這已不是他第一次生意失敗。記得他首次創業是跟幾個朋友夾份開火鍋店，兩年後倒閉，說是被騙，之後韓流襲港，他學人開舖賣韓國護膚品化妝品，又話舖租貴競爭大撐不住。有人提議擺上網賣，他又話讀得書少、對電腦一竅不通，即時放棄，完全沒有想過用盡方法學懂它，解決問題。他每次失敗都有一個共通點，歸咎是別人的錯、社會的錯，從來沒有從自身找出問題。所以他喜歡推卸責任，缺乏整體規劃，即使當了老闆，其實還是在「打工」。

你必須要明白，無論在任何機構工作，你永遠在經營一個以你自己名字命名的「公司」。一間公司的失敗，從來都是因為停止成長，你這間「公司」也不例外，你的專業技能、行業經驗、視野、想法、格局，甚至同行的口碑和人脈，就是你的事業資產。財務上，要產生正現金流才能叫資產；職場上，要產生正向價值才能叫資產，不停增加你的事業資產，你這間「公司」才不會倒閉，才能持續擴大經營。當你具有競爭力和創造力，到那時候，是自己創業還是繼續為人工作，只是一個形式問題。

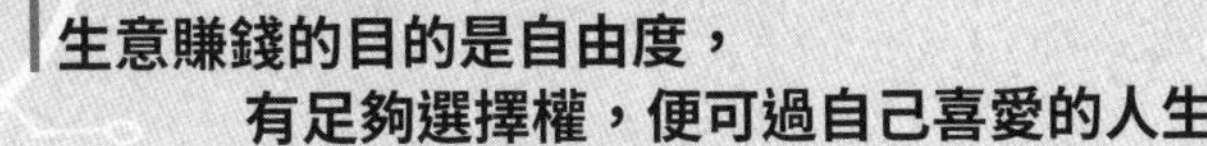

生意賺錢的目的是自由度，
有足夠選擇權，便可過自己喜愛的人生

education
MAX

chapter
two

Hea富實踐

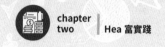

2.1 HEA 富實踐篇（一）：由前線銷售員開始

中七高考，成績見不得人，專業人士和政府 AO、EO 不會有我份，一早疊埋心水搵份 sales 工，貪其佣金制有得博，賣得多賺得多。自從出書後，不少沒錢沒資源又想創業的年輕人走來問我意見，我都提議他們先去自己感興趣的領域從事前線銷售，在那個行業裏累積經驗、人脈、資源，以及對產品和市場的認識；更重要的，是磨練講故事的能力，努力成為行業的 Top Sales，繼而累積一筆創業基金，是最理想的做法，創業不等同於「由零開始」。

近年政府突然鼓勵創業，設立不少創業基金。有大學生一畢業沒工作經驗就創業，沒資源沒資金靠些少政府資助，然後攤大手板問父母拿錢，創業未成當然靠父母供養啦……講真，我認為那只是一種刺激經濟的消費行為，他們不是創造財富，只是花錢買經驗，失敗者往往關注過程，因為沒有結果可言。能令公司每年增長，發展起來才叫創業。本身對行業、人性、銷售、會計均無一精通，居然學人開業？

Broadcast.com 創辦人 12 歲賣垃圾袋

沒做過銷售的創業者，基本上 99% 機會失敗。世界 500 強的 CEO 中，最多是銷售出身，其次是財務，兩者加起來佔 95%。Broadcast.com 創辦人、身家 33 億美元的馬克．庫班（Mark Cuban）曾說：「銷售能解決所有問題，一間公司的成功不能沒有銷售。」他在 12 歲時已明白這個道理。當時他看中一雙昂貴波鞋，嚷著父親買給他，但父親的回答是：「自己波鞋自己買！」但他只是一個孩子，哪有老闆肯僱用，正與其父玩啤牌的朋友說：「我這裏有些垃圾袋，不如你拿去賣錢吧！」每盒 100 個垃圾袋售價為 6 美元，成本 3 美元，即一盒賺 3 美元，他挨門逐戶兜售：「你好，你屋企需要垃圾袋嗎？」哪有不需要的道理，但被拒絕的次數仍然不少，他會跟對方鬥嘴：「我知你有很多垃圾袋，但我輸賭你買一個的價錢不會少於 6 毫子，你肯定沒用過這麼便宜的。」結果只花了數星期，他便賺夠買波鞋的錢，今時今日仍為此自豪，因那個時候他是在那裏做「垃圾袋」生意的第一人，套用他的話：「只有當第一，才意味著財富。」

那時庫班已意識到銷售的重要性，繼而實踐中學習。例如 16 歲的他，抓住報社集體罷工的機會，搭車到克里夫蘭以每份 0.25 美元價格購買報紙，再到匹茲堡用四倍價錢賣出，賺取差價。從小就有集郵興趣的他，靠著簡單的低買高賣，賺到了 1,100 美元交大學學費。大學畢業後，他看準 I.T. 的潛力，選擇加入 Your Business Software 擔任銷售員，那是其中一間最早期的美國電腦軟件公司。他閱讀每一本技術手冊，並研究有關軟件行業的一切知識，當他累積足夠的客戶和人脈，便創立自己第一間軟件公司 MicroSolutions。1990 年，他將公司售出，扣稅後淨賺 200 萬美元，再投資 Broadcast.com，該網站最後以 57 億美元售予 Yahoo，庫班成功晉身億萬富翁行列。我從來都說，擁有銷售的思維，再配合對行業的了解和觸覺，是成功的基礎。

我知道很多人一聽到「sell 嘢」就沾寒沾凍手軟腳軟，無論 sell 人或被人 sell，都第一時間抗拒，這可說是創業家大忌。做生意的本質是要賺錢，你得把產品或服務賣出去，沒有銷售怎會有收入？沒有收入何來利潤？所以，銷售是一間公司的立足之本。

兼職傳銷學銷售

當年沒人告訴我做 sales 可享創業優勢，只是覺得：「點都好搵過做文職啩？」也沒想過自己是否天生的銷售奇才，不過身邊很多同學、朋友，一份工都未打過，卻自稱不是銷售的材料。幸好我從小到大對任何事，尤其事關賺錢的，均抱持開放態度，連被指是「洗腦邪教」、「金字塔騙局」的傳銷行業，廿歲出頭的我也曾參與其中。撇開層壓式銷售手法不良與否問題，公司定期開班教銷售或分享經驗，又有「上線」從旁指導怎樣開口約朋友或周街做問卷釣生客，約到人又怎樣 sell，sell 到入會，又如何帶領團隊努力向上，涉及 motivation 技巧，他們自有幾個套路助你隨機應變。對於當時零銷售經驗的我來說，無疑是入門雞精班；最重要是做過銷售，你不會害怕面懞或被人拒絕，因為成功率極低。

先旨聲明，我不是鼓勵大家做傳銷，只不過這是我銷售歷程的一塊踏腳石，眼見當時很多行家都被誤導碌爆卡買貨「升 level」，我每月還能賺一萬幾千，兼職來說算不錯。現在有些傳銷可真千奇百怪，銷售員講明這盤生意無實際產品或服務、

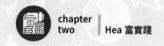

無實體公司，更無商業登記，食住「虛擬貨幣」條水，稱之為「虛擬生意」。嘩！即刻好有願景啦！他們更將政府拉人封艇的負面新聞，演繹為國家想嚇走沒膽識的人，目的是培養一批有素質的商人，說得出這種說話的銷售員不是口才了得，只是乜都夠膽死噏，當客人是白痴嗎？銷售是要學，但別學壞手勢。

酒仙網老闆賣餃子出身

今時今日，我依然會單槍匹馬出去見客找生意，保持自己的市場觸覺處於作戰狀態。作為老闆，若能第一時間發現市場轉向，絕對能製造優勢，內地酒仙網創辦人郝鴻峰，七年間身家從零到億，正是因為親做銷售了解市場把握先機。創業前他在一家急凍餃子公司擔任銷售員，每天早上七時不到，便踩著單車穿梭太原鬧市喊著口號：「急凍餃子，皮薄餡靚，送貨上門。」第一個星期一張訂單也沒有，去到第八日，他無意中穿過一條巷子，裏面有一間只有五張桌子的小飯館，六十多歲食店老闆娘問：「真的送貨上門？」他答：「當然！」對方一口氣下了 100 斤訂單，原來這間小店生意很好，一天翻枱八次，人手嚴重不足，送貨上門正好解決入貨問題。他靈機一觸，改變策略，放棄大飯店，專攻小飯館。兩個月過後，他成為公司的銷售冠軍。

一直接觸飲食行業，他發現無論大小飯館，對酒的需求都很大。於是 2001 年初，他決定自立門戶賣酒，問姐夫借了 5 萬元人民幣，成立山西百世酒業，代理「金星啤酒」；可是半年不到，賠了本金，再欠一萬多外債。但他沒認輸，問勻以前的飯店熟客，得悉原來潮流興飲白酒，他即時修正，借多兩萬一口氣買入 300 箱「家家酒」成為代理商。今次郝鴻峰學精了，沿用賣餃子的方法，專攻中小型飯店，為客戶提供買十送一、免費送貨、當天訂貨當天送達等服務。他自己與員工共 10 人分成五組，規定每日把二十條街的飯店酒店酒吧甚至小賣部全部掃一遍，每組車尾箱放 10 箱白酒，不賣完不准返公司。

當時「家家酒」根本沒甚名氣，但郝鴻峰的「螞蟻兵團」戰術成功創造盈利，短短八個月，不僅還清債務，還有 10 萬元落袋。食髓知味，他再代理「汾陽王」，今次轉攻高檔市場。大家還記得 2003 年沙士一役嗎？當時很多代理商減少庫存，他則

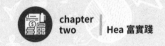

趁低吸納大肆囤貨，結果沙士一過，白酒需求急速反彈，郝鴻峰成為山西最大的酒類代理商，2005 年銷售額已突破一億大關。2009 年他在 EMBA 課堂第一次得知電子商務，心裏有數此乃未來世界大方向，他果斷地放棄傳統思路，以迅雷不及掩耳之勢成立酒仙網，開始電商之路。第一步是爭取幾個著名品牌的線上獨家代理作招徠，第二步就是自己釀酒，2014 年推出自家品牌「三人炫」，訂價兩斤裝 169 元，買一送一，低價出擊殺入市場，反應超出預期，三個月銷量突破 100 萬瓶，銷售額超過 7,000 萬。有見客人愈來愈追求速度，2015 年中他推出「酒快到」手機 APP，手機下單，最快 9 分鐘送到目的地，被稱為酒界的「滴滴」。此舉無疑將其事業推上另一高峰，同年 10 月上市，公司市值超過 200 億。郝鴻峰一直站在銷售最前線，沒人比他更了解行業發展，並與世界和科技接軌，從傳統線下經營轉到線上自動交易平台，反應快狠準，此乃成功的關鍵。

店主直播帶貨成潮流

近年宅經濟的崛起，直播帶貨愈來愈火熱，不單止內地，香港亦非常流行。基本上今時今日做老闆的，無論經營網店或者實體店，若然規模不大，無可避免要「拋頭露面」，直播帶貨無疑是低成本高成效的銷售方法。所以打開 Facebook，多的是衫褲鞋襪、美妝食品、電器家品等現場直播，示範式短片廣告亦不少，有個冬菇頭雜貨店老闆就經常在我的 Facebook 出現。撇開內地幾分鐘賣幾億的神話思維，香港有個做開街坊生意的藥房老闆說，在疫情下開始落場直播銷售，生意額隨即有十倍增長，譬如一枝椰子油唇膏，實體店一個月才賣出 100 枝左右，一場直播已賣出近 1,000 枝，個多小時能創出六位數的生意額，直播的威力令他驚訝非常。那是否求其在鏡頭前拿著產品講幾句就有生意？當然不是，直播前一定要背熟細節，如產地成分用法好處經驗分享用家心得折扣優惠……不同類型的產品有不同演繹手法，總之落足嘴頭內容充分零悶場，同時亦需要即時回應客戶問題的轉數和急才。如果完全沒有前線銷售經驗，著實比較蝕底，不是說做不到，只是需要時間訓練，但在這個透明度極高的「網絡競技場」，客戶東家唔買買西家，你講到唔清唔楚或者悶到飛起，很難留住客人睇足全場。可能你會問，找個樣靚身材正又口才好的少女代為出鏡可以嗎？不是不行，但老闆出馬能增加親和力、信任度和黏貼度，有助於建立品牌

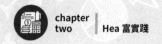

的認同，讓顧客對品牌更為忠誠；最重要是你要有少女隨時「轉會」或「另起爐灶」的心理準備。

「石油大王」洛克菲勒（John Davison Rockefeller）曾說：「即使你們把我身上的衣服剝得精光，扔在撒哈拉沙漠的中心地帶，但只要有兩個條件——給我一點時間，並且讓一個商隊從我身邊路過，那要不了多久，我就會成為一個新的百萬富翁！」

所以，銷售能力永遠是生意人的救命草。

2.2
HEA 富實踐篇（二）：與其抱怨，不如學習老闆！

「我老闆識鬼做生意，仲學佢」、「畀我做老闆，一定唔會咁做」、「做老闆做到佢咁，聽執笠啦」……

在你心裏面，有沒有曾經這樣想過？我以前打工就時時想、日日想、年年想。

根據《經理人月刊》在網路上進行的問卷調查（2018 年 8 月號發佈結果），在 2,299 份有效問卷中，只有 12% 的人表示在職業生涯裏沒有遇過不好上司 / 老闆，最常見的上司 / 老闆是控制狂型，佔 41.6%，其次是小心眼型（37.9%）和搶功勞型（35.1%）。回想起來，我曾經提過的「傳奇」老闆，也屬於控制狂型，他為了控制我不另謀高就，每個月都不付足佣金，永遠有一、兩百萬在其手中，企圖用此方法綁住我。對我來說，當然不奏效，我不喜歡欠人錢，更討厭別人欠我錢，尤其是我應得的，你不給我，勢係假。好似有些訂單銀碼不是很大，但若對方過期未付，以前的我會奪命追魂 call，老婆有時都話我誇張，似為啖氣多過為錢。我一向主張公平交易原則，我交貨、你付款；我付出、你付費，是常識吧！生平最痛恨以大欺小的所謂大公司。

不過，很多同事不像我「不識時務」，大部分都將這口氣吞下去，耷低頭繼續做，但在外面做點私幫實在所難免，正所謂「你不仁，我不義」，而且在各行各業中秘撈也不是甚麼奇聞，只要有客底，萬事好辦。雖然我在「傳奇」之下做的時間不算長，大概三年多時間，但的確學了很多在平凡老闆身上學不到的「手段」，對於我日後創業有莫大幫助，再經過多年的自我實踐和修正，就變成我的東西了。

讓利的巧妙佈局

不過唔使旨意老闆會捉住你隻手循循善誘地教你，很多時只能靠觀察。記得有一次有批貨成本約 1,000 萬，「傳奇」以 1,300 萬賣給中間人，中間人再以 1,700 萬轉售予真正用家。嘩，豈不比出料的我們賺得更多？當時我問「傳奇」何不開價進取一點，盈利都送給中間人了，他只丟下一句：「你唔畀佢賺多啲，佢咪揀其他公司囉！」有錢使得鬼推磨，就是這麼簡單，但何時讓下家賺、賺幾多，才令對方甘之如飴，自己又攞盡價錢，卻是一門高深的學問。

市面上，有公司更絕到不收下家錢，不怕蝕給你，最怕你不用，如 Amazon。2014 年 Amazon 推出第一部智能手機 Fire Phone，滿心期待可以與 iPhone OS、Android 系統等一較高下，沒想到銷售奇慘無比，被分析師說成「史上最爛手機」，推出不到一年就壽終正寢。不過 Fire Phone 的死亡，卻造就另一項新技術——手機內建的智慧語音操控軟體 Alexa，即不用靠熒幕操作，就能與終端使用者對話的系統。

之後 Amazon 對外開放 Alexa 語音服務，重點是「免費」，即任何開發者都能將它整合在各種喇叭與咪高峰裏；官方更成立 Alexa 基金，補助開發全新應用產品的業者。接下來兩年，Alexa 的應用有如雨後春筍，被整合入雪櫃、汽車等數十種家用品裏。串流音樂應用軟體 Spotify、Pandora Radio 雖是亞馬遜音樂的死對頭，卻開發出內建 Alexa 的版本；Domino’s Pizza 雖也與亞馬遜餐廳快遞服務競爭，但用戶同樣可以透過 Alexa 訂購其薄餅。另外，在科技車領域遠遠落後競爭對手的美國車廠福特，於 2017 年 1 月宣佈將 Alexa 內建在儀表板上，想要與 BMW、Tesla 一較高下。有不同品牌公司幫手助推，令一款失敗產品的內置軟體，愈見普及，並且一度成為 Amazon 股價升穿一千美元的武器。這證明表面蝕底，其實得到的更多。

若能成功運用「讓利下家」策略，對於資金、人手、物資都有限的初創公司來說，就如請了一班 sales 代替自己在外面推銷，乃 HEA 富法則之一——成功後不辛苦的其中一個重要關鍵因素。相反，若要賺到盡，令下家無利可圖，就要有心理準備一拍兩散，好似某些街舖業主，一見租客被貼上米芝蓮星星，趁續約時瘋狂加租，人家計來計去，發覺賺埋唔夠出自己份糧，惟有含住泡眼淚關門大吉。當然，業主加租背後的真正目的不是為了區區幾萬元，而是增加舖位的價值，因為 5 萬元月租差價，可以造成 2,000 萬元的價值差價，所以寧願丟吉，也不惜死等願意付出高昂租金的租客，不過大前提是「等到」。像 2017 年中，有報道指銅鑼灣及尖沙咀熱門零售地段出現大量吉舖和劈租潮，尖沙咀廣東道原由溥儀眼鏡以每月 180 萬元租用的舖位，在丟吉近 20 個月及勁劈租金 72.2% 後，最後只能以每月 50 萬元租出去。

被譽為台灣「經營之神」的臺塑集團創辦人王永慶常說：「買也要賺，不能只有一方賺錢，有一年匯率變化大，臺塑寧可自己吸收匯損一百多億元（台幣），也要讓下游客戶維持獲利，因為只有讓上游供應商、自己、下游客戶都能一起賺錢，這樣的生意才能長久。」

老闆成反面教材

我認識一個七十後老闆，當公司還屬小規模時，不知是為了增加員工歸屬感，還是一片好心，居然效法八、九十年代的工廠做法——包伙食，作為員工可以省下飯錢，又不用落街跟人逼餐飽，沒理由不高興吖，應該定時定候影張相 post 上 Facebook 或 Instagram，寫番句「感謝老闆賜我衣食」、「今日阿 Sir 又請食飯」之類以表揚如此慷慨的老闆。但實情是否咁「薛家燕」呢？

頭一、兩個星期，大家感覺還好，望向老闆的眼神都帶幾分謝意。不久開始有人埋怨伙食供應商質素麻麻款式不多食到好悶，背後說老闆貪平，後來更有人質疑他另有居心，想他們嗱嗱聲食完飯即刻開工，比喻成血汗工廠，總之愈說愈難聽。

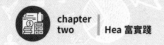

最後老闆付了錢，卻被指控刻薄員工，有夠諷刺的。最後包伙食轉為午膳津貼，但食慣老闆的員工們不覺得是一項福利，反而是應得的！

之後我這位朋友有沒有汲取教訓，不再亂派員工福利？答案是沒有，十多年下來，其公司已發展到 500 名員工的規模，他突然又有新想法，每個人的生日一年一次，好應該放假開心一下，於是跟人事部下達，員工可享有生日假的福利，無剌剌多日假，怎會不開心興奮兼多謝老闆大恩大德？問題來了，如果週日或公眾假期生日，是否翌日補假呢？一般人都會這樣想，但他居然說：「咁當佢唔好彩喇！」今年唔好彩的同事固然激動，好彩的同事擔心終會有唔好彩的時候，最後落得群情洶湧、怨聲載道的下場。唉，我不禁慨嘆：「本來無一物，何處惹塵埃！」

打個比喻，劉德華對上一次在香港開演唱會是 2010 年，八年後再開，想當然搶飛搶到失魂，只是發生斬人事件是意料之外。但若然他年年開，場場唱〈倒轉地球〉，大家還會搶嗎？我懷疑會有人改詞〈阻住地球〉。又例如十號風球「山竹」過後，有老闆發訊息批准員工遲啲返或放半晝，受惠人士紛紛將原文 post 上 Facebook「曬命」，心底話是：「冇車嗝，你哋仲返工，冇陰功囉！」這些突發性的恩典，員工特別入腦，你試吓搵次三號風球叫他們不用上班，即刻當你神咁拜，不過謹記慣性令人麻木。我朋友是「好」老闆，但未必是懂得管人的老闆。

古龍小說《歡樂英雄》中主角之一郭大路說：「啟蒙的恩師是『神拳泰斗』劉虎劉老爺子，然後是『無敵刀』楊斌楊二爺子，『一槍刺九龍』趙廣趙老師，『神刀鐵胳臂』胡得揚胡大爺……我學的並不是他們武功的長處，而是他們武功的短處……我若看到他們武功有甚麼破綻弱點，自己就儘量想法子避免，這就叫『三人行，必有我師』。」

無論跟甚麼老闆，只要你有明辨是非的能力，總能學到點東西。

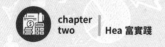

2.3 HEA 富實踐篇（三）：累積有效的事業資產

我常常強調，如果你有做生意的打算，創業前就不要胡亂打工，因為若然在職時累積的「事業資產」對你計劃經營的生意根本毫無用處，那只是浪費時間。著名小說家張愛玲曾說：「成名要趁早，來得太晚的話，快樂也不那麼痛快。」我深表認同，一直主張「發達要趁早」，要達到目的，就要避免做沒有功效和效率的事情。

在日復日的工作之中，無論是知識、技能、思維、社交、人脈等，事必有所增長，累積下來的所有經驗，我稱之為「事業資產」。事業上做過的事，留下的正面痕跡愈不可磨滅，愈留得長久，代表愈值得做。小時候學習語文或拿到大學學位，就是在工作前累積基本學問和能力，如果讀書不成，中三輟學出來工作，就轉路線在社會累積經驗，最後成功的大有人在；只是開始時，前者工作性質多用腦，後者用多一點勞力而已。但是否代表你在原本崗位上表現出色，跑出來創業就一定無問題？我可以答你，肯定不是。因為若論賺錢能力或事業成就，最後是靠「有效的」事業資產累積。

專業人士以生命換財富

針對「事業資產」來說，我會分三個層次：（一）近乎沒效；（二）一般有效；（三）非常有效。

從事手板眼見工夫、以勞力為主，或不需要用腦等最容易被取代的工作，就是沒有累積，屬於第一類；簡單來說，即是普通文職、侍應、洗碗工、搬運工人、速遞員、空姐、地勤、消防、海關、工務員之類人講乜你做乜的工種。我認為第二類一般有用的事業資產，是所謂的專業，例如會計、測量、醫生、律師、工程師等，雖然普遍工時長較困身，但起碼薪酬方面有不錯的回報；若然閣下的專業牌照對公司有用囉喎，更像是掛上免死金牌，當公司經營困難要裁員，你都不會是第一批苦主。若追求穩定生活無疑沒問題，月入閒閒哋十萬八萬，要自立門戶亦難度不高，只要儲下一班客底，在屋苑商場開間私家診所，或跟幾個行家夾份開間陳李張律師行、會計師樓之類亦相當普遍。問題是生意模式變化不大，亦很難做大，最大問題是 HEA 不得。

大概十年前我跟老婆度蜜月期間，在遊輪認識了一對五十歲左右的夫婦，先生是小型會計師樓老闆，太太是律師。當時我三十出頭，算是船上少有的「年輕人」，皆因遊輪之旅在大家心目中的形象是「HEA」、「悶」和「老」，很少四十歲以下人士參加。當時那位先生見到我兩公婆，十分驚訝，我最記得他說過一番話：「我好似你咁嘅年紀，根本唔會放長假期，諗都唔敢諗。呢次旅行，我哋計劃咗五、六年先去到，邊有你哋咁 free。」其實那時他們已經決定改變，皆因見得太多同行做到病甚至做到冇命，很多人打算撐到退休才環遊世界享受人生，可惜到頭來卻有心無力。我知道他們之後刻意放緩賺錢的步伐，少接 job 多運動多旅行，但最近還是聽到先生患上坐骨神經痛、可能要做手術的消息，疑是久坐工作間所致。我之所以說這類事業資產一般有用，皆因爆發力有限，但須以青春和健康換取回報，代價或太高。

至於甚麼事業資產屬於「非常有效」？首先一定是銷售技巧，做人做事做生意做甚麼都好，均涉及銷售，簡單如見工，也是在推銷自己，前文已解釋過銷售的重要性。然後是專業知識，我所指的，並不是醫學法律會計這類，而是你在自己工作範疇中累積的所有東西，可能是老闆成功的生意模式和賺錢方法，萬一給你學到一、兩招不外傳的秘技，將來成為你創業成功的主要關鍵也說不定。我常說，若連自己的專業都做不好，跨界別的成功機率低於一成。

減少摸索成本

在自己熟悉的行業尋找創業機會，一定比較容易，我中學畢業後一直在同一個行業做銷售，在累積足夠專業知識和人脈後，當我在過程中發掘到幾款有「水位」的產品，便拿著幾萬元本金自立門戶，成功刀仔鋸大樹。背後的原因當然是走在前線多年的我，知道客戶的痛點和需要，最緊要是熟悉行業的遊戲規則。香港傳奇人物李嘉誠先生十二歲輟學就業，十七歲在塑膠玩具廠擔任銷售員，兩年後成為總經理，二十歲以七千元創業，成立長江塑膠廠，生產普通的塑膠玩具和家庭用品，後來以製造塑膠花賺到了第一桶金。為甚麼李嘉誠揀選塑膠廠來作為創業的行業？原因很簡單，他在這行業累積了人脈和知識，一開始時非但減少了學習期和摸索期，還有基本客源，保障了基本的營業額和收入。簡而言之，創業的成功基礎，就是必須

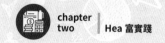

擁有行業的專業知識，先有一個「底」，以省回學習成本和減少公司的初期支出。例如想開餐廳，最好本身是廚師，最低限度也做過樓面經理；想開美容院，最好本身是皮膚科醫生，最低限度也做過幫人唧黑頭的低級美容技師。像內地時尚女性消費者的電子商務網站「蘑菇街」的創辦人陳琪，創業前在淘寶工作六年，先後擔任淘寶網的用戶界面設計師、用戶體驗部經理、產品經理等職位，他的創業項目就是把社區的用戶資源和電商的商品資源整合起來，蘑菇街完全植根於他原來的工作崗位。順帶一提，蘑菇街於 2018 年 12 月正式登陸紐約證交所掛牌上市。

另起爐灶就是叛徒？

如果有心創業，打工時就不要太專注做討好老闆、上司或搞辦公室政治、八卦同事私事的無謂事情，儘量搜集貨源、供應商、客戶、物流等重要資訊才是要務，在自立門戶前，自我評估一下有沒有能力撬走公司客人或取貨，當做好萬全準備，才辭職也不遲。我有個朋友大文（化名）本身經營一間燈飾公司，專為企業辦公室大樓或地產樓盤做燈飾設計，他僱用了兩名感情要好的大學師弟做銷售員，兩人十分拼搏，幾年間成為 top sales，佔公司七成的營業額。大文相當信任學弟，我就覺得他太依賴和缺乏防備心，由找客冧客傾價錢，聯絡供應商、船公司，至貨到香港售後服務，兩人由頭跟到尾，完全摸清這盤生意的來龍去脈，甚至公司賺幾多錢亦一清二楚。雖然大文待他們不薄，薪高糧準兼當一世朋友，但人望高處在所難免。如果你知道自己的能力足以養起一間公司，會選擇養起別人的還是自己的？理所當然是後者吧。兩學弟決定另起爐灶，預期之內撬走公司不少大客，無論金錢上或者心靈上，大文都好傷。

站在打工仔的立場，兩學弟相當成功，不斷累積行業的專業知識，增加有效的事業資產，最後出人頭地。當然這樣發跡的人很多時會備受非議，像當年離開「晶體管之父」威廉·肖克利實驗室的幾位年輕人，創辦了一家在矽谷歷史上非常重要的仙童半導體公司，但肖克利為此非常憤怒，一直稱他們為「叛徒」。

另外，Alphabett 旗下自動駕駛子公司 Waymo 前軟件工程師 Anthony Levandowski 辭職後創立 Otto，六個月後以 6.8 億美元被 Uber 收購，Anthony 連隨成為 Uber 的副總裁，負責無人駕駛汽車項目。但遭 Waymo 指控他和幾位前員工竊取了 Waymo 的激光雷達技術相關的機密訊息，以幫助加快開發自己的自動駕駛技術。Waymo 稱 Anthony 在離職前下載了大量專利和機密文件，數量超過 1.4 萬份，Waymo 認為 Otto 利用竊取的訊息獲利超過 5 億美元。Waymo 在聲明中表示：「盜用這些技術，無異於竊取飲料公司的秘密配方。公平競爭刺激新技術創新，這件事屬於不公平競爭。Otto 和 Uber 竊取了 Waymo 的知識產權，不必開發自家技術，避開了風險，不用投入時間和費用。」先旨聲明，我並不建議大家不擇手段、鋌而走險，俗語有云「出得嚟行預咗要還」；不過從另一個角度看，因為他們了解行業，知道市場需要，並且有渠道掌握一些「賣得起價」的技術和產品，才能有本事取得豐厚的回報，外行人可以話諗都唔使諗。

跨行業事倍功半

跨行業經營會有甚麼下場？不失敗也事倍功半，由外行變成內行是一個漫長而艱辛的過程。

有台灣「大閘蟹天后」之稱的王莉鈞，2008 年頂著雪梨大學化工碩士的頭銜回台灣老家，其實可以找份高薪厚職，特別是其父是有線電視股東，足以讓她做千金小姐等嫁，但她卻選擇了與其專業完全無關，日曬雨淋，並與爛泥為伍的大閘蟹養殖場來創業，只是想屋企人可以食到無毒蟹。

那年，進口大閘蟹被驗出藥物殘留超標，本土又沒人養，為尋回舌尖的記憶，王莉鈞動念養大閘蟹，上網搜尋資料，還跑到中國取經，雄心勃勃：「台灣沒人養，養活一隻就算成功。」隨後王莉鈞拿出自己三十多萬台幣的存款，加上父親投資一百多萬，創業開始。但從第一步驟──準備蟹飼料，就遭遇挫折。

為了要讓蟹可以吃到新鮮的飼料，沒有經驗的王莉鈞，第一個想法就是去一般魚市場買魚，然後直接剁開，沒想到竟被魚血和魚內臟噴到一身都係，其實行內人會用雪藏魚作飼料。王莉鈞體會到看似簡單的一件事，實際做起來並不容易。沒有經驗沒有門路，她曾眼睜睜看著旁邊的阿伯買飼料的價錢平一半。

第一年她投了四萬尾蟹苗，「文獻上說，螃蟹日落會浮出水面，我天天在池邊等，甚麼也沒看到，蟹苗是死是活？根本不知道。」她壓抑疑惑繼續餵蟹，有天池面漂滿密密麻麻的「小」閘蟹，我撈起來觀察，「咦！是蟹殼……這就是論文寫的脫殼。」

她大感振奮，但年底收成時，四萬尾蟹苗只養活 2,000 隻，每隻重不到 3 両。大閘蟹養殖一般收成率是七成以上，「台灣環境不同，至少該有五成吧？」結果養到第六年，只勉強達到三成。至今養蟹 11 年，半路殺進水產業的王莉鈞算是成功，「后里蟹」成為台灣的良心品牌之一，但付出的金錢、時間、體力、心血絕不為外人道。

本土口罩廠倒閉潮

近年香港都有一個新興行業，有一班完全未做過不認識的人一窩蜂加入，正是口罩廠。2020 年，一、二月新冠肺炎爆發初期，本港防疫物資短缺，700 萬人爭購口罩，通宵達旦排隊輪購，更不惜天價購買，1,500 元一盒日本口罩都有價有市，很多人在群情洶湧的淒慘畫面中看見商機。當時香港政府亦呼籲廠商自設生產線製造口罩，於是乎短短兩個月出現了超過 200 間口罩廠；但不夠一年，香港滯銷口罩超過 5,000 萬個，苦無出路，業界估計三分之一的口罩廠將在 2021 年春季倒閉。問題所在除了香港市場細，缺乏專業技術人才資源配套等亦是致命因素。

有做製衣的廠佬只看了一條網上影片，以為有廠房有機器有工人就能成事，心想車口罩會比車衫複雜嗎？初期投入五、六百萬買機買料，全是炒價，買過最貴的熔噴布約七十幾萬一噸，一台機器過百萬，現在熱潮過去最平廿萬有找。緊張時期，買貴了就買貴了，但機器不動才是大問題，他欠缺一個能將機器調節到正常運作的技術人員，結果交不到貨。製衣選布料或者難不到他，但熔噴布完全不同科，零經驗下，自己選錯又好，被人搵笨又好，結果浪費了幾百萬在購買劣質布上，全部報銷。這筆學費著實有點昂貴，他之前在製衣業儲下來的事業資產在口罩業幾乎用不上，前後投放了數千萬在這盤生意上，至今仍未回本。

另一個本身經營網購生意的媽媽，極度後悔自己一時衝動加入口罩戰場，自認短視和虛榮，投資 600 萬，一開始問題就來了，買錯機器、預售計錯時間、趕貨趕到癲，每朝七時返屋企，下午一時返公司，日做十八小時，三個月沒見子女，當時心態是「我直情好嬲自己點解攞嚟衰」。面對市場出現割喉式減價，她無力迎戰，皆因早跟德國熔噴布廠以疫情高峰的價錢簽了一年合約，就算市場材料價格回落，幾乎都與她無關，成本減不了，她亦不想蝕賣。她已決定 2021 年租約期滿後退場，放下這個包袱，其實由她為搶料不惜高價簽約已行錯第一步，除非你預期高價未算高，否則鎖定價格完全沒著數；如此一來，只會減少自己選擇和靈活性，訂價被高成本控制，競爭力大減。

說真的，若能全身而退已是好事。有個後生仔投資了 850 萬建設三條口罩生產線，由 2020 年 3 月十秒二萬張訂單，到 12 月一日才二、三十張訂單，生意額急速萎縮，為了繼續營運，屋企人動用積蓄再按樓，給他二百萬現金周轉，每月須還銀行十幾萬，另加租金水電煤人工等成本又二、三十萬，「跑山」的壓力相當沉重。家人曾提議他出售口罩廠，甚至結業，長痛不如短痛，以免愈陷愈深。當你經營一門生意，會影響到屋企人，甚至造成精神困擾，我認為沒有做下去的理由。我有一個女性朋友，其廚師老公在疫情期間經營西餐外送生意，生意不好，按樓死撐，我朋友勸他放棄，他堅持做下去，可是眼見老公身水身汗日做十幾個鐘，一方面感到心痛和擔憂，另方面覺得這盤生意難有轉機，生活充滿壓力和絕望，連照顧小朋友的心情都沒有。比起她老公能否翻身，我更擔心她的情緒健康問題，可以非常手尾長，賺錢反而是小問題。

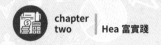

2.4
HEA 富實踐篇（四）：發掘和解決深層次痛點

當你使用一個產品時，有沒有突然浮起「如果有這個功能就好」的想法，例如本身是一部手機，如果同時是一個鬚刨，令你出席宴會場合可以神不知鬼不覺地剃鬚，不是很方便嗎？以上只是說笑，用家往往有很多點子，但是否代表所有點子都是市場痛點，可以藉此創業，由買家變賣家呢？當然不會這麼簡單，首先個別用家認為的痛點可能只是個人喜好，未必是大眾所需。舉個例，我有一個對枕頭非常有要求的朋友，多年來推介過不少高質枕頭給我，其中有絕對符合人體工學的，有美國太空總處研發的，價格幾百至幾千元不等，然後幾年前突然跟我說想研製一個智能枕頭，透過內置感應系統，將用家的溫度、濕度、翻身次數、深度睡眠時間等等記錄下來，類似戴上 Apple Watch 或者智能手帶的效果，還加入播放音樂和鬧鐘功能，透過電話 Apps 操作。聽落幾有嚎頭，但諗落實際用途有待商榷。原則上，人們對睡眠質素的好壞有直觀感覺，根本用不著智能枕頭來監測，反而在自身體驗與監測結果出現差異的時候，會給使用者徒增煩惱。一般情況，枕頭好自然瞓得好，你卻搵一個枕頭來測試自己瞓得好不好，是否有點本末倒置呢？

另外，就算大部分人認為「有好過冇」，那大家願意花幾多錢去解決這個痛點呢？例如某公司發佈了一款智能雪櫃，聲稱可以在門上的觸控面板上收看影視節目、上網找食譜、一鍵下單購物等；但事實上，消費者在家看節目可以使用大電視，找食譜可以用 iPad 之類的平板電腦，至於在雪櫃下單購物這項功能，最終還要用手機支付，應該沒有多少消費者願意為這些乏善可陳的附加功能埋單。

Tesla 工程師開公司製作高清地圖

相對用家，行內人更容易發掘行業的真正痛點，最重要是有能力解決問題，他們有的是技術、人脈和經驗，一個人辦不來，可以組織團隊，而且設計項目時不會太離地，一定比行外人更有效率和較高成功率。

譬如兩名工程師 Andrew Kouri 及 Erik Reed，在 Tesla 打工時買不到高清地圖數據，原因是沒有公司會收集。不說不知，自駕系統所需的高清地圖必須極為細緻，除了要覆蓋大片

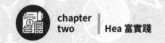

土地外，更要經常更新，故製作地圖的資源就會所耗甚大，對 Tesla 來說亦是一大難題，因它既沒有足夠車輛外出收集數據，亦找不到任何專門製作汽車地圖的公司合作。Andrew Kouri 及 Erik Reed 看到這個痛點，於是離開 Tesla，然後成立汽車地圖 Lvl5 公司，更得到專門扶持初創企業的 Y Combinator 資助 200 萬美元，二人更開發出應用程式「Payver」，與 Uber 及 Lyft 合作，以走每英里路付 0.05 美元的價錢，吸引旗下司機安裝「Payver」，讓汽車行駛時從鏡頭收集數據，以繪製高清地圖。

Zoom 創辦人擊敗前東家

華裔企業家袁征（Eric Yuan），現為視頻會議軟件提供商 Zoom 創始人兼行政總裁，早於 1997 年已在一家提供企業視頻會議服務的公司 WebEx 寫代碼，一步一步爬上副總裁之位，將部門的工程師從 10 名發展到超過 800 名，並將收入從 0 增長到超過 8 億美元。後 WebEx 以 32 億美元被 Cisco 收購，他亦成為 Cisco 的全球副總裁，主管協作軟件開發業務。2011 年，他每次拜訪客戶，發現沒有一個是開心的、滿意的，當了解客戶的想法，新的問題就出現了，而新的問題需要用新的方案去解決。但當時的 Cisco 並不需要新的業務，所以他就大膽地帶著 40 名工程師開始了 Zoom 的開發，隨著矽谷的朋友、李嘉誠、紅杉資本等資本的進入，Zoom 也慢慢發展壯大起來。

其中一個痛點是 WebEx 的核心代碼問題，該代碼是 Eric 在 1998 年編寫的，客戶用起來較複雜，令他們又愛又恨。於是 Zoom 致力於簡化線上會議，通過團隊深耕視頻會議領域多年的獨特算法，Zoom 能提供高清晰度的視頻會議服務，同時容納多達 200 人參加會議，甚至可以實現 3,000 人參與的視頻大會，開會者可以在會議中進行數據共享和遠程協作，無需昂貴的硬件設備，只須通過電腦、手機或平板即可參加會議。經過幾年的發展，Zoom 已經在雲端視頻會議領域做到了全球的領導者，Eric 指出美國前 500 大企業，過半數與 Zoom 有過合作關係，並於 2019 年 4 月 18 日在納斯達克掛牌上市，收市價較招股價大升超過 72%，市值達到 161 億美元。Zoom 受惠新冠肺炎疫情下，遠端工作和學習的需求大增，2020 年 2 月至 4 月（全球疫情高峰期）每日活躍用戶從 1,000 萬飆升至 3 億，三個月內成

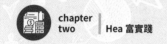

長 30 倍，根據 datanyze 統計，Zoom 市佔率 36%，為視訊會議軟體之冠，股票市值更一度翻倍飆漲。這個勵志的創業故事說明，除了對行業的了解，如果沒有人脈，也不成事，Eric 的團隊和起步資金，若不是在職時由上而下建立良好的關係，一切就不會發生了。

藥劑師創 Apps 慳藥費

可能你覺得新興科技行業發展時間短，多的是等待解決的痛點，不同於傳統行業，大部分必須和可以解決的痛點，經長時間的洗禮都消失了，今時今日怎會那麼容易找到新痛點用來賺錢？錯了，隨著科技的發展，以及人的思維進步，總有令傳統行業變得更有效率的方法。例如藥劑行業，一般醫生開藥，病人買藥，藥劑師執藥，夠傳統喇啩！一名任職美國連鎖藥店沃爾格林（Walgreens）的藥劑師邁克爾·雷亞（Michael Rea）開工時，幾乎被每一個客戶問同一個問題：「為甚麼藥費那麼貴？」其中一名 65 歲患有糖尿病和高血壓的婆婆，需要服用八種藥物，在經濟拮据下問他應該把哪兩種藥省掉，她想知道哪些藥物是最重要，並做一件關乎生死的決定。出於良心，雷亞無法建議她停用任何可能保命的藥物，於是他花了六個半小時算出藥效相同、但更便宜的替代性藥物，每月幫這位女士節省 250 美元。自此他開始為其他客戶提供類似服務，一個月後更成立了自己的公司 Rx Savings Solutions 並設立網站，幫助患者減少藥品開支。通過專有算法，雷亞為每名患者花幾個小時完成的工作，如今只花幾秒就完成了，美國僱主和保險公司向逾 100 萬人提供其桌面和手機應用，其中一家客戶「堪薩斯州政府」表示，通過藥品變更建議，去年州政府節省了 750 萬美元。

愛空間首創標準化家裝

若能顛覆傳統行業，更是一大商機，以下是內地一站式裝修平台「愛空間」創辦人陳煒如何改變裝修行業的故事。畢業於清華大學經管學院MBA的陳煒，在博洛尼旗艦裝飾裝修工程（北京）有限公司工作了七年，他認為裝修是一個極其不確定性的行業，客戶需求不確定，師傅質素不確定，效果不確定，經常是裝修隊一邊做，顧客一邊投訴，到最後交收尾數又要拗一大餐，

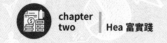

很少雙方滿意皆大歡喜。裝修也很低頻，再相見可能是十五年後，那時屋主已經好了傷疤忘了痛，再來頭痛一次。陳煒擔任總經理時負責全國的樓盤精裝業務，以 B2B 為主，但他觀察到到真正用家心態上的轉變：「2003 年，北京有一百多個樓盤，絕大多數是做毛坯房，只有 5% 做精裝修，但十多年以後，開發商有 50% 都做精裝修。我覺得既然消費者接受開發商的標準化精裝修，那我們創業，做 B2C 的標準化裝修，肯定成。」

於是他跑到天貓開店，2014 年 5 月愛空間正式上線，他把多年做開發商、做標準化精裝修的經驗，轉移到做家裝，8 月更獲小米創辦人雷軍投資 6,000 萬元，隨即被外界冠以「小米家裝」的頭銜，「20 天工期、699 元 / 平方米，從毛坯實現精裝」的產品一下子引爆了裝修市場，可算是中國第一家標準化家裝互聯網公司。如何標準化？用平方米報價，用標準化的設計做情景樣板間、讓客户所見即所得，然後用標準化的材料，實行標準化的施工，並將整個裝修服務流程拆解為 16 個工種、88 個工序，教會工人按標準化的作業流程來完成，並制定期限裏每一個工種甚麼時候進場，讓裝修像流水線一樣去操作。

只不過起步相當燒錢，雖然收入從零毛利率提升到 10%，但他算過，30% 毛利率是生存的底線，當時壓力大到幾乎患抑鬱症，晚晚失眠。2017 年他把產品價格從 699 元 / 平方米提高到 899 元 / 平方米，原有的客戶群對價格非常敏感，不再口碑推薦了，原有的銷售型設計師不適應，紛紛離職，進店的轉化率呈斷崖式下降。陳煒用了三年時間自營產業工人體系、自建倉儲物流、搭建訊息化系统（由愛空間 APP、愛聊兒 APP、熊師傅 APP 組成）。2017 年 6 月，愛空間獲國美資本 2.16 億的 C 輪融資，現已進駐全國 24 個城市，擁有 6,000 多名產業工人，2018 年營收 12 億元，在家裝行業獨樹一幟。

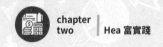

2.5
HEA 富實踐篇（五）：計算自己有多少創業條件

很多人以為有錢有時間有理想有衝勁，就可以創業，實在錯得離譜。別小看創業了，輸錢事小，輸掉信心或別人的信任事大，創業前最好針對市場痛點、競爭格局、行業潛力、自家產品 / 服務優勢，還有更重要的個人特質，作出一個綜合的評估，再決定去不去馬。千萬不要信有些人說創業靠行動，做了先講，他們不是走運成功就是言不由衷，創業，是一個必須審慎處理的過程。我主持電視節目時，訪問過不少創業者，最怕聽到他們說做生意「最緊要有熱情啦」、「唔賺錢唔緊要㗎」、「賺到經驗都好吖」，創業者可以不賺錢，但絕不能沒想過賺錢。說得出這些話的人，如果不是企圖以大路官腔來避免在訪問中不慎透露商業秘密，那他們似乎不太適合做生意，因為缺少「恨錢」的特質，你不恨錢不會想到有效的盈利模式；就算想到，收錢追尾數都嘆慢板就死得啦！

除此之外，若然你擁有以下條件，亦較容易創業，未必成功，但從 0 到 1，應該沒問題：

1. 擁有創新技術和方法

很多初創公司能在市場站穩陣腳，全因掌握了領先的技術，例如 Tesla 作為電動車行業的領軍者，除證明鋰電池讓電動車的性能和價格均不輸於燃油車，而且它不止是一輛交通工具，更是會行會走的數據收集機器。譬如一輛福特，它不懂收集客戶使用數據；但 Tesla 不同，可以通過行車數據來分析駕駛人士的習慣，甚至在車輪上裝嵌了微型計算機，所有車上的數據都能上傳到平台進行分析，幫助製造下一代電車。還有科技大學電子與機算機工程碩士汪滔創立的大疆創新，研發出民用小型航拍機的先進技術，賣點是價廉物美，最引以為傲的精靈 Phantom2Vision+，被《時代》週刊評為「2014 年度十大科技產品」，同時亦是唯一打入《經濟學人》雜誌的「全球最具影響力機器人產品」榜單的中國產品。高盛證券估計，2016 至 2020 這五年間，全球消費者投入航拍機的支出將達 1,000 億美元，而大疆市佔率高達七至八成，是名副其實的航拍一哥。

2. 擁有創新的商業模式

顛覆性改變一個行業，不一定由新科技帶動，有時候模式的創新也會帶來一定優勢。例如由兩名哈佛商學院畢業生

Katia Beauchamp 和 Hayley Barna 於 2010 年 9 月創立的 Birchbox，是一個試用和零售結合的化妝品平台，顧客一個月繳付 10 美金的訂閱費，便會定期收到 Birchbox 寄來四至五款化妝品試用裝，附帶一份詳細說明書和專家使用建議的禮盒，如試用後覺得滿意，可上網訂購正裝。Birchbox 如何決定給顧客甚麼商品呢？用戶在註冊時須填寫一份問卷，包括偏好和習慣，另 Birchbox 有一個專門的團隊，根據顧客的膚色、年齡、髮色來決定，由於中高檔化妝品的正裝價格一般比較高昂，試錯和嘗新的成本很高，Birchbox 幫助用戶以低廉的價格，獲取為自己度身訂造的高檔體驗，也滿足女性「選擇障礙」、「貪新厭舊」、「喜歡驚喜」的消費特性。當時來說，這是一種全新的訂閱式先用後買的營銷模式，跟其他訂閱類電商相比，Birchbox 透過提供一種「讓他們找到自己不知道想要的東西」的服務，並實現用戶和品牌的連接。

一般廣告投放能產生 1% 至 2% 的轉化率已很不錯，而 Birchbox 能做到 20%，可謂高得驚人，不僅回購率高，顧客忠誠度也很高，所以不少高檔品牌搶著免費提供試用裝給 Birchbox 派街坊，所以 Birchbox 的主要成本來自物流、包裝、宣傳。上線四年，訂閱用戶超過 80 萬，年均銷售額達 1.2 億美元，三輪融資總額約為 8,550 萬美元，其投資人包括 First Round Capital、Accel Partners 以 及 Viking Global Investors，一度被視為電商行業的成功典範，2018 年 10 月被美國醫藥巨頭沃爾格林聯合博資集團收購。

3. 自帶流量

在網絡社交媒體盛行之時，愈多 followers 代表愈大商機，這完全取決於個人魅力和影響力，若能顛覆 followers 使用媒體的習慣，進而將人氣轉化為消費，絕對較普通人容易成功。說到 followers 之多，怎能不說葡萄牙國腳 C 朗拿度，截至 2021 年 3 月，C 朗的 IG followers 有 2.6 億個，Facebook 有 1.2 億個，被譽為全宇宙最多。據《福布斯》統計，C 朗在 IG 發出的商業宣傳 Post，平均每個收入達 100 萬美元（約 780 萬港元），平均每年在 IG 相關收入高達 4,780 萬美元（約 3.7 億港元），比他在祖雲達斯的 3,000 萬歐元年薪（約 2.6 億港元）還要多。C 朗深明肥水不流別人田的道理，2013 年創立自家 CR7 品牌，由「底橫」做起，親身赤裸演繹盡顯雄風，想唔爆都幾難。之後再推出時裝、鞋履、香水、童裝等，CR7 這個品牌，令他每年多賺 1,000 萬美元（約 7,800 萬港元）。

2016 年 C 朗跟美國健身集團 Crunch 合作，在西班牙開設連鎖式健身中心，繼續用自己個名做生招牌——「CR7 Clubs」，賣點是客人可享用 C 朗平時用開的器材，想好似 C 朗般擁有完美身段？交年費啦！同年 C 朗大舉進軍酒店市場，與 Pestana 合作，在葡萄牙先後開設了三家「CR7」奢華酒店，在紐約開幕的第四家酒店，在入口處可以見到 C 朗親手寫下的歡迎詞：「歡迎大家來我家，別拘束，盡情享受。」第五間於 2020 年在摩洛哥大城市馬拉喀什開幕。2017 年 C 朗創辦初創投資公司 7egend Venture，收購了葡萄牙最大數碼公司之一的 Thing Pink，一嚐在創科界大展拳腳的滋味。Thing Pink 曾負責裝配葡萄牙馬德里島 CR7 博物館的所有數碼裝置，以及為麥當勞、Levis、法國零售企業 FNAC、波圖足球會開發手機應用程式。2019 年 C 朗入股隸屬於 Insparya 集團的植髮診所，佔 50% 股份，在葡萄牙有 10 家診所。想得到想不到的生意，C 朗都有涉獵，人紅就是無敵。

在中國，這叫網紅經濟，例如淘寶平台上，已出現以「莉家」和「榴蓮家」為代表的網紅孵化公司。這些孵化公司在跟網紅的合作中，網紅們負責和粉絲溝通、推薦貨品，孵化公司則將精力集中在店舖的日常營運、供應鏈建設和網站設計上。網紅推廣多利用自媒體，所以推廣成本低、顧客忠誠度高，優勢明顯。被稱為「2016 年第一網紅」的 Papi 醬，憑變聲原創視頻內容融資 1,200 萬人民幣，估值 3 億元，證明投資者認同由網紅帶來流量、流量帶來變現的商業模式。

4. 具備有優勢的背景

所謂有優勢的背景，即是上一章所說的行內人優勢，例如經營茶葉零售的，如果供應商是父母親戚朋友，相對貨源較穩定，價錢有得傾，質量有保證，這種背景絕對有優勢和競爭力。又例如香港網購轉運公司 Buyandship 其中一個創辦人 Sheldon，其家族從事物流產業長達三十年，基本上一開始已為這盤生意打通任督二脈。

另外我曾經在一個大學座談會認識了日韓遊戲平台 QooApp 老闆蒲得志（Stephen Po），他是 1994 年的會考十優狀元，但大學時沒有選修醫科、法律，只因自小愛打機，結果報讀訊息工程，寫 code 為樂，畢業後順理成章進入大熱的科網行業，成為當時的龍頭公司 Yahoo 一員。2007 年被 TVB 挖角，為大台寫下第一個可以在網絡觀看影片的網站 myTV。2009 年 Stephen 被一位初中同學游說一齊創業，於是他毅然放棄高薪厚職，成立遊戲發佈平台 Memoriki，公司初時主力在 Facebook 發展，亦為 Fb 上的遊戲做宣傳推廣。當智能手機愈趨普及，Fb 突然改變策略，甚至不再支援遊戲，Memoriki 惟有變招，與專做賭博遊戲的韓國開發商 Me2On 合併，2016 年 10 月在韓國上市。

浸淫在遊戲世界多年，Stephen 發現行業的痛點，雖然日本 ACG 在世界各地愈來愈受歡迎，卻沒有人為日本以外的 ACG 迷提供服務，他直覺這就是機會。於是 2014 年 Stephen 將 QooApp 從 Memoriki 抽出來獨立發展，定位為日韓遊戲平台，搜集有質素的遊戲供玩家下載，同時提供深度遊戲攻略及資訊，並成立社交平台凝聚玩家及遊戲開發商。截至 2018

年 1 月，QooApp 的用戶量超過 2,000 萬，同年 3 月更獲得阿里巴巴創業者基金領投 A 輪融資，2019 年中 QooApp 估值 5,000 萬美金。Stephen 多年來走過科網熱、Web2.0、Facebook App、到現在的手遊平台，豐富的經驗和敏銳的洞察力，令他每次都能把握先機和化險為夷，這種背景絕對能給投資者很大的信心。

興趣不是創業主因

坊間很多文章鼓勵擅用興趣來創業，因為興趣產生熱情，更多的熱情能化作更強的推動力，以致成功率大增云云。我認為，興趣絕對不是創業的主要因素，反之創業者或更容易被過度的熱情沖昏頭腦，蒙蔽很多現實問題，包括賺錢，遇著生意不如理想，便萌生「能夠做自己喜歡的事已心滿意足」之類的想法來安慰自己，最後落得苦苦經營的下場。你的興趣可能是唱歌、烹飪、畫畫、DIY 小手工、襯衫、滑雪、潛水等等，當朋友們盛讚你有天分兼有職業水準時，自然會思考：「係咪可以發大嚟搞呢？」我有個主婦朋友擅長炮製中西甜點，個個食完都話有五星級酒店水準，多年來不斷有人鼓勵她開舖，甚至話夾埋一份。每次她都耍手擰頭，不是有錢唔賺，只是知道這種辛苦錢不易賺，競爭對手是連鎖餅店，美心聖安娜東海堂，根本鬥不過。可能你會話「細有細做」，賣手工賣精緻賣個人化，應該有市場，奈何她只有一雙手，更多的生意也應接不暇，還要計算客人願意付多少錢買你的製成品。說真平時送給朋友食，一般人對於不收費的東西都不會抱太大期望，質素好一點已喜出望外，但若然要他們真正掏錢出來買又是另一回事。這很現實，最後你的期望跟客人的意願會有很大落差也說不定。

有一對 90 後的蛋糕師傅，在 3D 蛋糕連鎖店學滿師後，決定自立門戶，於工廠大廈開設 3D 榴槤蛋糕製作工場，再於網上銷售。一開始沒有宣傳拍晒烏蠅，經營一年多後經多番改良，終有人關注，在母親節時更收到十幾張訂單，令他們既興奮又頭痕。皆因榴槤蛋糕須每日新鮮製作，兩個人四隻手要不眠不休才能起貨，最慘是訂單多不代表有錢賺，榴槤蛋糕重 2 磅，製作時間約 3 至 4 小時，以 $398 出售，材料燈油火蠟租金人工，很多時要倒貼運費，根本是賣一個蝕一個。所以針錯數或根本計唔掂條數，絕對是創業大忌，但很多人就是因為興趣而忽略了重點。

反而我見過一個 case 幾得意。有個 90 後理大生，因為從小喜歡維修機器，順理成章選讀電機工程，大學時經常被同學仔委託維修手機，最叻拆機換 mon，修吓整吓，iPhone、Samsung、Sony、華為乜機都識拆，還愈拆愈快，由當年新手需時一小時，到今時今日 8 分鐘搞掂，還要在港鐵站即場修好交還，毋須留機，幫襯過的人都嘆為觀止。口耳相傳後，生意接踵而來，畢業時他決定放棄大公司月薪 2.2 萬元的職位，毅然創業做「移動版先達」。他比一般維修店的優勢是靈活性和個人化，其實很多人放工後根本沒有時間去特定店舖，其 90% 的客人都選擇在地鐵站即場維修，地鐵站雖人來人往，但有一個好處，就是不用交租，所以他的收費可以比維修店便宜 30% 以上。創業三年，他為超過 1.1 萬人維修手機，粗略估計每年生意額接近 300 萬元，月入超過 20 萬元。當然這門生意在 HEA 富的角度，只有 50 分，雖然符合成本低和有控制權兩個法則，但靠一人之力，實欠缺爆發力，客戶所相信的是其個人技術，難以請人代替，成功後亦很難不辛苦。他接受訪問時亦坦言忙到每日吃一餐是常事，回家後仍須修復及測試零件，一般做到半夜三至五時。

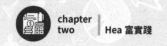

2.6
HEA 富實踐篇（六）：創造可持續現金流

對於一門生意來說，找到賺錢的辦法，這就是商業模式。當模式落不到地賺不到錢，就算一開始被吹捧得天上有地下無，最後也只會被淘汰，快則兩、三年，慢則十年內見成果。

以 2015 年在內地最火、被官媒吹捧成「中國新四大發明」的創業項目——共享單車為例，全盛時期有七十多家公司投入市場，當時返內地探親，見到滿街五顏六色、東歪西倒的單車群，好一幅富有中國特色的一窩蜂奇景。這類共享單車一般收費是每小時一蚊雞人民幣左右，若計算單車的成本和損耗、宣傳費、日常開銷等，這個價錢簡直跟做善事沒分別。一盤表面上不停燒錢的生意，為甚麼仍然吸引阿里巴巴、滴滴、騰訊、紅杉、鴻海、富士康等不少大企業和創投公司泵水？據內地統計 2017 年共享單車的融資總額高達 258 億元（人民幣，下同）。

究竟共享單車如何賺錢？基本上其收益主要來自按金，每位使用者必須繳付 100 至 400 元不等的按金，此按金須於結束服務時才可取回。假如 10 萬輛單車的成本是 1,000 萬元的話，按每輛單車服務 10 個用戶推算，100 萬個用戶的按金就是 2 億元（按每用戶 200 元計算）。按金收入基本上是穩定的，如果投資理財有道的話，按照 10% 的收益率，一年的收入就是 2,000 萬元，理論上即使所有單車一年報廢，這件事仍然有利可圖，總之用戶愈多，球便愈滾愈大。

那為何 2017 年下半年開始，大量共享單車平台相繼倒閉，被形容為泡沫爆破？其中一個原因是它們的發展邏輯已變成融資向，只想著如何比別家更快推出更多單車吸收更多用戶，以拿到更多融資。像龍頭之一 ofo 的創辦人戴威，曾揚言要在 2017 年底投放 2,000 萬輛單車，2017 年 3 月至 7 月是採購最瘋狂的五個月，採購金額約 72 億元，收回來的按金連買單車都不夠，還談甚麼投資獲利。經營成本過高，盈利模式不清晰，再加上競爭過於激烈，全是 ofo 資金鏈窘迫的原因，這不止是 ofo 的問題，基本上整個共享單車業根本沒有一家能呈現獲利。

2018 年開始，ofo 更遭逾 1,115 萬用戶要求取回按金，單是按金欠款至少達 10 億元，其內地經營公司東峽大通因欠債被入稟追債，甚至遭法院凍結存款，公司法定代表人戴威被判「限制消費令」，不得坐飛機或高鐵頭等票、不能買樓買車旅遊、

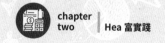

子女不得就讀高收費私立學校。其實類似共享單車找不到盈利模式的創科企業，在內地和香港比比皆是。

香港有隻「獨角獸」叫 Tink Labs，2011 年創辦人郭頌賢在國外旅遊時因忘記關閉手機的數據漫遊服務，結果回港後收到一張近 7,000 港元的電話帳單，那是一個 wi-fi 不普及，在國外上網又超貴的年代。於是他發明了 Handy 智慧手機系統，並將該手機放在酒店客房內，讓旅客隨身攜帶並免費上網、撥打國際長途電話，或者通過 Handy 購買酒店服務、景點門票等等。2013 年，Handy 在香港率先獲美麗華酒店採用，隨後有香格里拉酒店、海景嘉福、千禧新世界香港酒店、W Hotel、四季酒店等，2018 年的數據顯示，全港有近四成酒店房間裏有一部 Handy 手機，而最大單一市場為日本，在當地已有超過 810 家酒店採用。用戶數量見得人，Tink Labs 成功吸引著名投資者包括台灣鴻海系富智康（2038）、Google 中國負責人李開復的投資公司 Sinovation Ventures、美圖創始人兼董事長蔡文生及日本金融巨頭 SoftBank 等注資，2018 年 11 月有報道指 Tink Labs 的估值超過 117 億港元。

至於 Handy 的收入來源，一是收廣告費，按每一個 APP 每一次推送點擊收費；二是按 Handy 投放的房間數量向酒店收取費用，按不同的複雜程度幫助酒店制訂手機系統，收費不盡相同；三是預定服務回佣，當旅客通過 Handy 手機購買景點門票，交易成功後向指定商戶按比例收取佣金。但 2019 年 7 月網媒 Fortune Insight 報道 Tink Labs 炒近九成員工，面臨關門大吉，FI 如何得知財困消息？

其實未上市的 Startup 是私人公司，其財務報表不必像上市公司般向外人交代，可是當一些上市公司直接入股 Startup，而佔股比例較大時，那些 Startup 的財務狀況和融資方式就要在年報上公佈出來。Tink Labs 因有上市公司富智康參與，而且佔股 10%，所以財務報表就變成公開資料了。

從富智康 2018 年報表中，附有「Mango International（附屬公司為 Tink Labs）」的財務數據：公司在 2018 年間有 13,362,000 美元（約港幣 1 億 3 千 9 百萬）收入，但錄得 122,737,000 美元（約港幣 9 億 5 千 400 萬）的虧損，明言經營狀況在 2018 年明顯惡化，「燒錢擴張」的方式並不長久，除非得金主和投資人長期支持，但富智康年報亦透露「Mango 正著手接洽其他潛在投資者，尚未獲得任何資金」。2020 年 6 月有傳媒致電 Tink Labs 查詢，惟電話傳來「對唔住，你所打嘅電話未有登記」，其公司電話疑已停用。

Tink Labs 身陷困局，有分析歸咎於其業務和產品未能追上時代變化，現在去旅行買數據卡不知幾方便，又便宜，日本八日無限上網一百蚊有找，就算去到當地用自己電話卡開漫遊上網，都是每日幾十蚊有限數，不像以前那麼貴，加上很多酒店、景點、coffee shop、餐廳都有 wi-fi 任用。除此之外，酒店品牌一般都有自己的 APP 推送酒店相關服務，其他旅遊相關 APP 也可預訂景點門票，完全與 Handy 的服務重疊，既然旅客用自己手機都能上網和得到所有資訊，根本沒有必要「多嚿魚」帶埋 Handy 手機出街。

另一大問題是 Tink Labs 跟富智康的對賭條件太辣，那手可換股票據的本質是對賭，有利息要付，有本金要還，若新投資入股，很有機會要幫舊股東出貨還債，而不是用於公司發展，誰想做「水魚」接貨？財務報表的數字最真實客觀，嚇人的虧損表顯示 Tink Labs 仍未找到有效的盈利模式。其實香港很多 Startup 都是狂燒錢，燒到咁上下，再找下一個投資者注資續命，根本沒有在本業中得過一分錢。我眼見大部分只依靠「燒錢」方式發展的公司最後都無法成功，因為當你燒錢去爭取市場時，其他人也可以這樣做。

說到底每間公司都必須創造穩定、可持續、可複製的現金流，如果你偶然接到一個訂單而賺了一筆錢，那未來能否接到這樣的訂單呢？或者再接到同樣訂單，你有能力完成嗎？如果你的答案是「不知道」、「不肯定」、「未必得」的話，這種業務就不能構成商業模式。在我眼中，一盤生意能賺錢是基本，但不一定值得做，每每從創業者或想創業者口中聽到他們的商業模式或者創業點子時，第一個反應就是以 HEA 富思維分析，有些生意注定有得震冇得瞓、有些賺完快閃不宜長揸、有些容易建立護城河、有些對手多爭崩頭、有些不需人手自動運作、有些請少個人都唔掂……我一向主張「有得做」不等於「值得做」。正如我有一個經營工廈西餐廳的廚師朋友，他日做 12 個鐘，朝 10 晚 10，但每月扣除租金人工材料雜費，只支取三、四萬元薪金，跟出去打工差不多，說來說去只為了滿足老闆癮，搞到自己壓力爆煲。這種商業模式雖

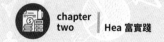

可行，但我認為不值得做。若然你能培養出 HEA 富的敏銳觸覺和思維，當看到市場的痛點，自然知道值不值得將它發展成一門穩贏的生意。

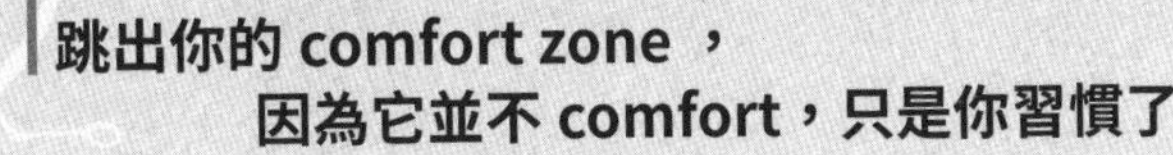

跳出你的 comfort zone，

因為它並不 comfort，只是你習慣了

education
MAX
MAX

chapter three

Hea評

3.1
以 HEA 富法則評估生意成功率

由這章節開始，內容會與 HEA 富四大法則有著不可分割的關係，熟悉我的讀者應該知道，我做生意的目的不單止要賺錢，還要 HEA 住賺，座右銘是「辛苦可以一時，但不可以忙碌一世」，相信各位因為認同我的態度才繼續看下去。要做到 HEA 富，創業前必須去秤一秤你想開展的生意，能滿足多少條法則；若完全背道而馳，還是放棄好了，失敗率可謂高唱入雲。你要知道輸錢不算最慘，輸掉信心才是，從此覺得打工才是人生唯一選擇，就最悲哀。

在此必須重溫一下四大法則的重點。

第一條：成本高，不做！做生意首要條件就是將成本降至最低。以我的標準，最好不用拿錢出來，最大的成本就是自己，輸極都是時間和汗水，尤其建議做左手交右手的貿易生意，收到訂金才訂貨，不用墊貨，風險極低。若然成本高，還要耗盡家庭積蓄的話，那種壓力絕對會影響創業者的判斷能力。正常情況，個個做生意都想儘快產出現金流，有咁快得咁快回本，封了蝕本門，但你有否聽過財不入急門？成本低的話，你可以拉長戰線，倘若成本比競爭對手低很多，你大可針對某項目或作短期減價迎戰，增加優勢，搶先爭取市場份額；若相反對家減價先呢，你也有迎戰的本錢，做生意，防守也是重要一環。以本傷人從來不是我的營商風格，不過非常時期就要用非常手段。當然，如何選擇符合條件的產品是另一門學問。

第二條：沒有爆發力，不做！是否一間變兩間，兩間變四間，餘此類推就叫做爆發力？大錯特錯，爆發力絕不是與營業額和規模掛勾，而是即使營業額大幅增長，成本也不會以同樣比例增加。簡單來說，有如按個掣印銀紙一樣的生意，就叫有爆發力。譬如經營商場補習社，基本成本包括舖位租金、裝修傢私、教學材料、老師薪金、燈油火蠟之類雜費等，基本上開多一間分店，就多一倍成本，而且店舖增加、人手增加，管理成本變得更大，可以話開得愈多，辛苦愈多。相反，經營一個網上教學平台就完全不同了，隨著網絡世界的無遠弗屆，大大發揮突破時空限制的學習概念，網上收費課程可謂愈來愈盛行，早在兩、三年前，內地已經興起線上老師，而且收入非常可觀。廣州一名幼稚園老師，將兒子讀英文繪本的語音資料放在枝微課平台分享，有見點擊率非常高，於是打造親子育兒英文課程，15 節課銷售 29 元人民幣（下同），在網上賣得極好，現在月入超過

10 萬元。北京某知名中學物理老師開設一系列線上課程，一學期學費為 1,600 元，每週上兩個半小時，僅初三就有 2,000 多名學生，月入接近一百萬元。銷售網上課程，最大的成本是打造平台，但這是一次性的，雖然之後會有維護費用，但這算是行常開支，如電費一樣，每個課程只須錄影一次，然後放上平台。無論幾多人付費購買課程，成本不會因而大幅增加，亦不會有人數限制兼且可以 24 小時營業，可以話瞓住覺都有錢收，不像開實體補習社受限於課室面積而不能狂收生，營業時間亦有限，半夜三更，有人想畀錢學，你都沒精神體力教吧。

第三條：沒有控制權，不做！做特許經營、代理商，或賣別人的產品，的確較方便易入門，但無論貨源、貨量、價格都受制於上一手，直接影響盈利，完全被牽著鼻子走。賣得好，像為他人作嫁衣裳，品牌商見市場接受度高，大可拿回來自己賣。像韓國品牌 3 Concept Eyes（3CE）的化妝品，一度是日韓代購網和水貨店的收入來源，經常被搶購一空。由於最初沒有專門店或專櫃，女士們更加趨之若鶩，在各大搜尋網站曾是熱門搜索，隨後 3CE 正式進軍香港成立專門店，直接斬斷水貨佬的米路，其實他們賺了短時間的快錢已很走運，左手交右手，從中賺取差價，沒有任何開發、生產、包裝等成本，算是 easy money。

不過只有建立自己的品牌，生意才能製造價值和細水長流。像 3CE 的創辦人金素熙，2005 年 22 歲的她便創立網購平台 stylenanda.com，以售賣女裝為主，當網購平台成熟後，2009 年她開始發展化妝品牌 3CE，2015 年創下千億韓元的銷售額紀錄， 3CE 佔其五成以上銷售額，在亞太地區包括中國、日本、澳洲、泰國、香港及新加坡等地已有 168 間分店。2018 年 4 月國際品牌 L'Oreal 以 29 億港元收購 Stylenanda 的 70% 股份，金素熙成為韓國 80 後的「網購神話」。自創品牌和賣別人產品的分別，大家清楚了吧！

第四條：成功後辛苦，不做！坊間很多生意，一聽就知做得愈成功就愈辛苦，譬如近幾年大行其道的代購生意，因為入場門檻低，只要有錢買來回機票、入貨、支付食宿費等，就能夠開業，金額視乎代購的產品而定。如果是一般日本家品、藥妝之類，幾萬蚊足夠有餘，若然代購如 Hermes、Chanel、LV 等奢侈品，幾十萬走唔甩，但回報相對較高。疫情之前，此乃不少走歐洲線的空姐副業，她們連機票錢都慳番，賺到盡。為了節省成本，很多人以 one man band 形式經營，拖住個篋搵貨搬貨走走趯趯已經夠身水身汗，如果目標是日本品牌的限量產品，起碼排幾粒鐘在所難免，返到香港還要幾晚通宵包貨寄貨，貴重貨品甚至要安排時間見面交收，賺的都是辛苦錢。而且這種人做你做的生意，利潤只會愈來愈低，為了堅持下去，就要更努力更快人一步找到與別不同的「好產品」；給你找到了，其他代購見你賣得好，又賣埋一份，你又要更更努力尋找新產品，不停 loop 不停 loop，這種生意沒有最辛苦，只有更辛苦。

依我經驗，要完全滿足四條法則的生意，可謂萬中無一。能滿足三條，已能過富足的生活；兩條的話，賺的可能是辛苦錢，HEA 不得。

3.2
HEA 評：實體產品型商業模式

實體產品商業模式粗略可以分四類。

第一類：自己生產自己銷售

一件商品從設計、生產到消費市場的整個產業鏈，可以將其簡單歸納 M（製造）—B（大商家）—b（小商家）—C（消費者）。消費者在街邊檔買東西，稱為 b2C；消費者去超市買東西，就是 B2C；超市找經銷商入貨，是 B2B；超市出租攤位給經銷商賣東西，則是 B2B2C。

始於四十年代的維他奶，就屬於 M2B，既是製造商，也是分銷商。初期產品由售貨員以單車逐戶派送，而首家工廠設於銅鑼灣記利佐治街（已遷），現在除了在屯門設廠生產各種奶品、茶類、果汁、汽水、蒸餾水、豆腐等「維他」品牌產品外，亦於中國深圳、上海、北美和澳洲擁有廠房，供應世界各地不同市場。維他奶的銷售模式採垂直渠道，即通過在各地設立分公司，實現對主要零售點的直接供貨和管理，建立強而有力、由生產製造商控制的銷售系統。再者根據各區域的物價和消費能力不同，製訂不同的批發和零售價格，保證各層的利益分配，從而堵住水貨的源頭，避免經銷商將產品轉移到非屬銷售區，造成市場傾軋、價格混亂，出現嚴重影響廠商聲譽的惡性行銷現象。至於另一家香港製造的老字號嘉頓，除自設工場，分銷到各大小超級市場和食店等，加上在深水埗和深井設有自己的零售點，M2B 和 M2C 兩種模式同時進行。

HEA 評：自己設廠自己銷售，成本一定高，尤其香港地，買地起廠根本不是一般中小企負擔得來，基本上租個工廈單位整餅，皮費都不輕。至於爆發力，就要看怎樣製造和銷售，像維他奶的模式，爆發力當然大，基於生產線採用全自動化生產設備，就算增加生產量，人力成本亦不會增加太多，但當需求超出負荷時，自然需要加開生產線，買機器的費用和日常運作會提高生產成本，始終受限於硬件。如果手作仔自己生產，爆發力可說是零，而且愈成功愈多人落單愈辛苦，唯一好處是有控制權，太辛苦可以自己決定 cut 單。

第二類：外包生產自己銷售

Nike是全球最大的運動鞋企業之一，卻從來沒有完整地生產過一對鞋，更有人誇張地說過「在Nike位於美國俄勒岡州的總部裏，完全看不到任何一雙球鞋」。事實上，Nike所採取的是製造外包策略，將獨家氣墊鞋技術以外的生產製造流程，全外包給具有良好生產能力的製造商，如此一來，Nike節省所有與生產線相關的基礎設施、機器添置和人工費用，大幅降低生產成本，並將所有人力物力財力專注於研發設計和市場行銷兩大核心業務，達到最佳的經濟效益，從而有效地提升在市場上的競爭力。外包策略對於Nike的全球化經營也有深遠的影響，隨著各地生產和人力成本的轉變，其外包商從日本、西歐、韓國、台灣，一直轉移到中國、印度、越南等較具勞動競爭力的東南亞國家，管理層穿州過省尋找人工平品質佳交貨準的廠商，即使Nike沒有工人沒有廠房，但替它製造產品的工人和廠房卻遍及全球約四十多個地方。

眾所周知，蘋果產品也不是自己生產，代工廠遍佈全世界，超過200家。已故的Steve Jobs於1983年曾興建廠房生產第一代 Mac 機，就位於蘋果當時的總部對面，直至 1992 年全部生產線關閉，因在 90 年代中期，Mac 機銷量暴跌令庫存激增。之後 Steve Jobs 離開蘋果後，也曾為製造 NeXT 的個人工作站投入 1,000 萬美元建設工廠，最後也以失敗告終。兩次失敗讓 Steve Jobs 不再固執，重新執掌蘋果後，他讓 Tim Cook（現任蘋果公司的執行長）擔任全球運營高級副總裁，展開蘋果全球供應鏈的佈局。蘋果每年的資本支出約 100 億美元，是一個驚人數字，其分析師 Horace Dediu 表示：「一艘航空母艦的建造成本高達四、五十億美元，蘋果每年可以購買一、兩艘。」蘋果大部分花在購買生產設備上，例如連續數年採購市場上全部數控切割設備，用於生產 iPhone 和 iPad，每台售價高達 100 萬美元。可能你會問蘋果為何要買機器，不是把生產業務外包出去嗎？

　　蘋果採用的是一種獨特的混合外包模式，一般情況，大多廠商擁有自己的工廠和設備，並在自家工廠生產產品，或者將生產業務外包給擁有生產設備的協力廠商，蘋果則出生產設備，代工合作夥伴出工廠和工人。這使蘋果對生產過程具有更高控制權，監察生產過程符合自己嚴格的標準。另外，當產品被淘汰後，蘋果可以以任何方式對它們進行處置，不讓任何公司再使用這些生產設備，防止出現仿製品。

HEA 評：代工廠出廠房出機器出人手，大大降低企業的成本，過往大家購買世界不同牌子的貨品，可能都是「Made in China」，因為勞動成本低。不過，隨著工資地價原材料等成本上漲，加上中美貿易戰的不穩定因素，近年部分工廠已開始搬到更低水的東南亞地方，例如馬來西亞、越南、泰國、印尼、柬埔寨等，邊度平去邊度才是做生意之道。如果產品賣得好，爆發力當然驚人，更多的銷售不會增加你的成本，因為代工廠不會因為你的訂單增加而加價，反而你有更多議價優勢要求減價。理論上生意愈好也不會愈辛苦，請番個醒目少少的文職落單和安排送貨已搞掂。成功建立自己的品牌，控制權當然較高，不過一定要慎選代工廠，如果質素太差貨不對辦，會嚴重影響商譽和招致重大損失，所以最好搵定幾間後備，以防被一鑊翻起。

第三類：只生產不銷售

例如蘋果的代工廠、組裝廠都屬於這一類。不過若代工廠做得出色出名，慢慢便不滿足於代工業務的低利潤，也會想擁有自己的產品賣埋一份，例如內地的松心電器，在上海浦東新區擁有 15 萬呎廠房，從 1996 年起與日資企業長期合作，為其生產電飯煲的內鍋等部件，合作品牌包括松下、夏普、日立、虎牌、三菱、三洋等，更被日企多次評為年度「優秀供應商」。在內地芸芸代工廠之中，為何松心會被日企睇中？

因為夠進取，松心應日企要求，狠花 800 萬元購置一套特別針對內鍋鋁表面的自動氧化設備，而且買完還有手尾，五台機器的耗電量極大，變相增加運行成本，令薄利更薄，但此程序能使鋁材與熱飯長期接觸而不會產生影響身體的有害物質。而一些電飯煲生產商為降低成本，採用化學膜處理方法，在化學試劑槽裏浸一下，根本不能有效地將鋁材與米飯隔離。在代工過程中，松心掌握了日本的先進技術，2015 年開始出產自己品牌 SONGX 的電飯煲，一個約 600 元人民幣，比日牌同類型產品便宜一半左右，但內地同胞去到日本依然喜歡爆買電飯煲，差點忘了，還有電廁板。

除此之外，自己生產，透過經銷商、分銷商或代理商出貨亦屬此類，這亦是很多製造商用作拓展海外市場的方法。如果你有裝修屋企經驗，應該買過磁磚，你會發現很多意大利品牌都不會在香港設有專門店和辦公室，某些世界聞名的，甚至只有一至兩間大型建材零售公司有售。因為這種級數的品牌不想濫造而做臭個朵，所以在香港精選幾個分銷商，可能三個起、六個止，有些專門做零售街客，一千幾百呎家居裝修那種，有些專門做政府或私人機構大型建築項目。品牌公司一般不會限制分銷商的售價，所以賺幾多完全看分銷商的能力。我聽建材界前輩說，97 前建築界好景時，可以比來貨價嗌高 10 倍，一樣賣到開巷。海外分銷商負責所有出入口、運輸和營銷工作，製造商可以話毫不費力地擴展海外市場，只須落單出貨即可，但風險是難於管理，以及未能因應市場變化而作出策略性價格調整。如果當日它知道分銷商食水咁深，或會提高價格也說不定。

HEA 評：代工廠一般成本大利潤低，往往為了爭取龐大而穩定的訂單，揸頸就命，因為自己都知「你唔做出面大把人爭住做」。例如有報道指富士康代工一部 iPhone 手機只獲利 4 美元左右，毛利率 5% 左右，主要原因是沒有核心技術，故議價能力十分低。除非製造出來的產品有其獨有性、複雜性和優越性，例如晶片代工正是門檻很高的行業， 在技術方面，衡量晶片製造工廠的能力，一般看其製程能做到多少，放眼全球，台積電與三星為目前全球唯「二」能同時量產 7 奈米、5 奈米最先進製程的廠商，所以為蘋果代工的台積電，毛利率超過 30%，比蘋果還要高。如果毛利率低，相對風險比較大，尤其跟外國企業做生意，會有匯率和政策風險，例如侵侵突然話要加中國關稅，很多中國廠商紛紛喊咁口，因為利潤都被迫拿去交稅了，最慘連客戶也無情地跑去其他東南亞國家找代工，有些甚至面臨倒閉，所以沒有特色的代工廠都很被動，很容易被企業和市場控制。正如上文所說，做廠的愈自動化愈有爆發力，因為營業額增長比成本增長為大，至於有冇得 hea 呢？我有很多中小型廠佬朋友，辛苦到不想做，有一個真的放棄，走去柬埔寨買地起樓搞地產。

第四類：只銷售別人產品、不生產

即是我常說的左手交右手的生意，可以是上百億的貿易大生意，也可能是幾塊錢的士多小買賣，只要找到買賣雙方，不用研發產品，沒有複雜的服務流程，甚至連辦公室也不需要，轉手便能從中賺取差價，只要收付賬款控制得宜的話，風險其實不大，例如很多代購或者服裝網站都是先收款後買貨，當涉及的銀碼較少，客戶都肯先付款。但若然是幾十萬、幾百萬的額度，收錢方面就不能鬆懈，通常買方會先付訂金，可能是三成、五成或更多，看你怎樣跟客戶協商，之後貨到付足尾數是最理想的情況。有些客戶可能要求三十或六十日數期，我一般不會接受，因為我不覺得數期是促成交易的誘因，反而會增加自己的風險，無論任何界別，收不到尾數的情況時有發生，我肯定若然你的產品對他們沒有「利用價值」，就算你願意一年後才收錢也不會招到一單生意，不時有客戶埋怨我：「XX 公司都有數期啦……」我斬釘截鐵說：「咁你搵佢買！」最後他們還不是問我有沒有現貨、幾錢幾時送？

HEA 評：始終不是自己品牌，上家可以不賣給你，就算獨家代理，如果交不到數，總公司大條道理收回。若然所賣的產品周街都有，大家為搶客不擇手段，你減十蚊，我減廿蚊；你減廿蚊，我減一百蚊，最後兩敗俱傷，盈利愈來愈少，本來有得做變成冇得做，這就是人賣你又賣的後果，控制權欠奉。至於成本，可以很低，可能砌個網站就可以開始做生意，集中資源在廣告宣傳上，將流量變現可以話至關重要。而爆發力方面，看產品的獨有程度，若然又獨有又好賣的話，可以很驚人，兼且好 hea 都得，因為都是寫個 email 訂貨而已。反之不夠獨有的話，初期可能會爆一段，但慢慢會被愈來愈多的後來者分薄盈利，然後你又要不停找不同供應商提供不同產品來維持營業額，聽落都忙啦。所以如果沒能力建立自己的品牌，最好傾個獨家代理回來做，當然這絕不容易，因為在世界有名有姓的，多數會選擇有規模有經驗的公司，所以我建議先在熟悉的行業裏找到有潛力但知名度不高的品牌，而對方又肯給你做獨家才創業，成功率會高很多。

3.3
HEA 評：中介型商業模式

說到中介，大家最熟悉的應該是地產中介，買樓賣樓放租搵租客一般都靠他們，他們掌握供求雙方的資訊，然後努力促成交易，從中收取佣金，即所謂的過河濕腳。過程不涉及生產和銷售程序，無論一手樓或二手樓，一個肯賣一個肯買，先簽份臨時合約，之後所有法律文件、金錢交收全由律師處理，頂多有少少售後服務，這亦不是法律規定，純粹令客戶感覺良好，希望生意陸續有來。我的相熟中介更會做多一點，除了有筍盤會通知我，之後裝修、放租，再之後租客說壞抽氣扇、漏水等問題，都會幫手解決，當然這些事不會經常發生，但令客戶免煩很重要，下次想買樓一定記得她。所以她能單憑一人之力搞起一間地產公司，現身家估計過億，問題是客戶只相信她，其他同事難以插手前線銷售，只能做後勤文書工作，故這類靠個人能力的中介生意，爆發力不大，除非單單成交億億聲就另作別論。

科技發達，某些傳統行業以前要靠人手撮合供求雙方，現在只需一個網上平台或者一個手機 App 就簡單做到，而且效率極高。好似我們以前 call 的士，會打上 call 台，台姐嗌咪呼喚，一般由最接近 call 車地點的司機應機接 order，台姐收到回應後再回覆客人，這種間接方法效率的確會慢一些。現在想call 車（的士、Van 仔、私家車），只須在手機 App 輸入出發地和目的地，App 的後台會自動運用演算法找出最近的司機作配對，司機亦是透過 App 接單，有問題自己打給乘客，全程沒有中間「人」涉入其中，order 來得快而直接，平台一般會向司機收取佣金或月費，此乃主要收入來源，另外還有廣告收益。科技改變了用家的消費習慣，導致 call 台慘被淘汰，僅存的規模也愈縮愈小。但 call 車 App 是否很能賺錢呢？表面上打造平台後，配對事務都交給電腦處理，只須聘請程式員、熱線專員、宣傳人員等，如果只針對香港市場，就算像香港龍頭 HKTaxi 的規模，每日處理約五萬張訂單，估計佔整體網約的士市場約七成份額，員工人數僅維持 30 名員工左右，老闆理應可以印印腳收錢。

Uber 未賺過一毫子

錯了，call 車 App 是一門非常燒錢的生意，以 2009 年成立的 Uber 為例，連續 11 年虧損，2018 年蝕 18 億美元，2019

年蝕 85.06 億美元，2020 年蝕 67.7 億美元，至今未錄得盈利。Uber 曾在招股書中如此寫著，互聯網公司總是有「大大的夢想」，實現的前提就是以最快速度佔領最大的市場份額，從而佔據用戶心智，Uber 就是「燒錢換市場份額」的終極代表。目前，Uber 在全球 63 個國家 700 個城市提供 call 車、送外賣等業務，Uber 不擁有車輛也不僱用司機，在硬件和人力成本上節省了資金，但賓州大學華頓商學院管理學教授埃賽克葉·荷南德（Exequiel Hernandez）指出了其他主要成本：Uber 消耗了大量資金創造一個分享經濟的新市場，訓練、招聘和補貼司機，為吸引客戶而推出免費乘坐，建立一個管理本地和區域辦事處的全球系統，以及聘請律師處理法律訴訟和應對監管機構，他說：「我猜 Uber 認為，我們有軟體和技術平台，可以在任何地方運用，輕鬆征服世界，但低估了跟技術和商業模式無關的成本，這些成本產生於遵守法律政策、應對監管抵制，甚至還有如何應對不同市場之間的文化差異。」

HKTaxi 成功收支平衡

反而我們的本地薑 HKTaxi 比較厲害，2013 年成立，創辦人之一 Kay Lui 透露 2018 年終以七位數的收入實現收支平衡，自稱一直以小本經營方式，開業初期只花四千多港元租用一個百多呎的劏 office，頭一年通過 Facebook 廣告和口耳相傳，吸引了幾千名司機和 20 萬用戶使用，每日訂單約 2,000 宗。但 call 車市場的競爭不停升溫，面對滴滴、快的、飛的、Uber 的夾擊，不得不加入燒錢行列，提供迎新優惠、信用卡優惠、每月優惠碼等是例行公事，2015 年為撼 Uber，一擲千萬購入不超過 10 部 Tesla 免費接送搶客，2018 年面對滴滴夥拍 Visa 推出最多 600 元優惠後，亦與 Mastercard 合作將優惠加碼，連同現有推廣提供最多 750 元優惠，實行鬥「燒錢」，不過有 Mastercard 分擔吓，應該冇咁傷。HKTaxi 始終將資源集中在香港這個單一市場，燒極有個譜，迄今吸引了 8,000 萬港元資金，應該夠燒。2019 年 6 月他們有一大計，有意入標競投政府推出的專營的士牌照（只發放 600 個牌照，每人只能投到 200 架），若奪「標」成功，Kay Lui 預計投放一億港元，包括 5,000 萬元資本要求、添置車輛、培訓司機、聘請員工、平台開發以及 500 萬元擔保等，特別留意專營權只有五年，要回本並不容易。不知幸運還是不幸，此計劃現已胎死腹中，或要待下屆立法會後才能重新「復活」。其實很多初創公司融到錢後，感覺資金充裕，就開始急於擴張瘋狂燒錢而失敗收場。

AnyMind Group 網紅中介

除了 Call 車 App，今時今日基本上你想得出想不出的服務，都有 App 或網站代為尋找供應方，例如裝修師傅、家務助理、陪月、補習老師、網上醫生、part-time 女友、義工、地盤工人、司儀、KOL 等，有兩個 80 後日本人於 2016 年創立 AnyMind Group，通過收集 Facebook、Youtube 等社交媒體的數據，以人工智能分析 KOL 的受眾、帖文、人氣等，廣告商只須輸入活動條件便可配對合適 KOL，目前平台已獲日本、新加坡、泰國等亞洲二十個國家、約 14 萬名 KOL 免費登記。那如何賺錢？平台會向廣告客戶按其選取的服務計劃收取不同比例的分成？，開業第二年總營收達 2,600 萬美元，成立五年累計融資總額達到 6,230 萬美元。AnyMind Group 之所以能短時間內迅速擴張，關鍵在於時機，廣告商的預算正由傳統市場轉向數碼營銷，兩位創辦人之前任職於日本其中一間最大的廣告公司，清楚市場發展趨勢，正是我之前所講的事業資產，你不是行內人，不是那麼容易窺得先機。不過做平台始終非常燒錢，何況要向世界擴張，創辦人早前接受訪問時不諱言：「現時收支平衡，但盈利不是短期目標，更希望提高市場滲透率。」講真搞到咁大，唔蝕算叻仔啦！

至於產品型的中介平台，亦可分為資訊服務提供和一條龍服務提供。前者一般是提供買賣雙方的資訊，通過平台，買賣雙方可在全球選擇成交物件，配對後不會直接在網上交易，而是另外接觸和簽訂合同，如阿里巴巴。後者是指平台不但提供資訊，而且還全面配合交易的服務，如網上結算、配送服務等，如 eBay、淘寶、京東、AMAZON、ZALORA、ASOS 等，一般通過收取商家上架費、交易佣金、廣告費、快遞差價、Paypal 或支付寶，或者提供增值服務來實現收入。

HEA 評：成本方面，正如前文所講，不是搭一個平台出來，就自然有人用，自然有錢返。實體商場最重要是人流，冇人行的話，搵鬼幫襯；電子平台也一樣道理，坊間常說「流量為王」就是這個意思。但要吸引流量並不簡單，最快捷的方法就是燒錢，賣廣告、提供免費任用或優惠補貼，消除用戶進入的門檻，擴大使用人群。《怪誕行為學》（Predictably Irrational）的作者丹・艾瑞里做過一個幾過癮的實驗，叫人們選購兩款朱古力，A 款品質較好，原價 30 美金，現特價 15 美金；B 款只售 1 美金，結果 73% 選 A。第二輪，同樣的朱古力，今次 A 款售 14 美金，B 款免費，差價同樣是 14 美元，出乎意料 69% 選免費。艾瑞里解釋：「零價格已經不僅是另一個價格，它成為一個讓情感一觸即發的按鈕和非理性的快樂泉源。」無論補貼和賣廣告都有難於規模化的問題，亦有邊際效益遞減的問題，隨著你花的錢愈來愈多，能夠獲得的流量卻愈來愈少。Grubhub 是一家美國上市公司，提供外賣服務，就像 Foodpanda、UberEats，也曾經做過補貼使用者的策略，就像 UberEats 在一開始時提供許多折扣券，不過 Grubhub 很快發現，靠補貼獲得的使用者買的是「便宜」，而不是產品提供的價值，他們用 Grubhub 訂餐，不是因為 App 多方便多好用，只因有著數；一旦停止補貼，這些人就爽快 delete 了。

我覺得在香港要做一個賺錢的平台非常困難，畢竟市場太小，要谷大用戶量，唯一方法就是發展海外市場，近近哋殺入大灣區或東南亞，像 Lalamove、WeLab、Klook 等，一來不熟悉外國文化，二來瘋狂燒錢在所難免，就算給你成功融資，都要不停跑數，基本用戶量一定要有所增長，有盈利就更加好，才有機會獲得下一筆資金繼續走下去。作為創辦人沒可能 HEA，就算做到獨角獸都係咁話，資金鏈一斷就玩完，至於爆發力，建立前期用戶量和營收額可能爆得很快，但由於成本同速爆升或更甚，在我的角度，真的很一般，先決條件要找到真正的盈利模式才行，Amazon 都找了二十年，2015 年才開始轉虧為盈，你覺得自己捱得到嗎？

控制權方面，企業進行融資就意味著控制權逐漸轉讓，當創始人的股權稀釋到一定程度時，若無其他協議的特別規定，創始人的控制權就會受到威脅。2001 年，新浪在美國上市的第二年，其創始人王志東被趕出董事會，失去對新浪的控制權；2010 年，內地網上超市 1 號店以 80% 股權為代價從平安融資 8,000 萬人民幣，後來平安又將 1 號店控股權轉讓給 Walmart，最終 Walmart 全資控股 1 號店，創辦人于剛和劉俊嶺離開。有傳媒報道過在收購 1 號店之前，Walmart 最先找京東，卻因為 Walmart 要求控制權而被京東拒絕。所以不要見錢開眼，要懂得保護自己，如朱克伯格透過雙重股權架構，即使不斷減持股份，仍擁有 Facebook 的絕對控制權，在 2019 年 6 月的股東大會上，一項計劃通過任命一名獨立董事來削弱朱克伯格控制權的動議，本贏得 68% 的普通股東投票，但在雙層股權結構下持有 A 類股股東，每股只有 1 票，但管理層和董事持有的 B 類股票，每股有 10 票，朱克伯格即擁有約 58% 的多數投票權，根本冇得輸，股東們只能和理非地反抗一下。

3.4
HEA 評：媒體型商業模式

傳統媒體，泛指報紙雜誌書籍電視電台等，在互聯網未盛行的時代，一般民眾透過過它們接受本地和世界各地資訊，主要收入為廣告，《東方新地》、《新假期》、《新 Monday》紙本停刊，就是因為不夠廣告。猶記得千禧年代紙媒可謂百花齊放，東方太陽蘋果，壹週忽周東周東地明周，互相拼頭條鬥銷量爭廣告，誰新聞夠爆誰銷量冠軍，內容非常重要，若長期高踞頭三位，廣告費自然可以嗌高一點。擁有慣性收視的大台 TVB，其黃金時段廣告費（基本）比細台 ViuTV 高出 9.4 倍，一個 30 秒廣告，大台收費約 14.36 萬元，ViuTV 只是 1.52 萬元左右，銷量或收視完全體現了一個媒體的價值。時至今日，大家的閱讀和睇電視習慣隨著互聯網和行動裝置的發展而改變，只要有一部手機、電腦，你想知的不想知的，都會進入你的眼球，太沉迷甚至會出現資訊疲勞；簡單來說，「新媒體」就是傳統媒體的數碼版，以電腦、手機、數位電視等為終端，向用戶提供訊息和娛樂服務的傳播形態。

人人都是專家

而當每個人都可以是記者、專家的年代，大有大做，細有細做，個體戶一樣可以自製內容，美容、化妝、唱歌、跳舞、打機、煮飯、健身、影視評論，甚至搞笑，甚麼都可以，總之你認為自己叻邊瓣就做邊瓣，透過YouTube、Facebook、Instagram、Twitter、微信公眾號、微博、抖音、鬥魚等不同平台發佈出去，把自己打造成一個焦點，在自媒體的時代，只要掌握價值、話題、共鳴、粉絲互動等關鍵，每個人都有機會晉身為網紅一族，憑著個人魅力產生驚人的價值。2020年中國十大網紅收入排名榜第一位馮提莫，30歲，由一個普通的遊戲玩家變成鬥魚直播一姐，憑著甜美的歌聲和清純的長相，在短短時間內紅遍全國，2019年上半年，馮提莫在鬥魚一共收到了962萬人民幣的打賞，每月平均收入160.3萬。2019年10月約滿鬥魚後，據知她收取5,000萬一年合約金轉會到B站，可見其身價之高。而她副業收入也豐富，活動出場費尤其可觀，近年大搞電商生意賣男裝。無論新傳媒或自傳媒，其盈利模式都大同小異，一般分別在於規模的大小。

一 . 付費訂閱制

如《泰晤士報》、《紐約時報》、《波士頓環球報》、《金融時報》、Netflix 等，均需付費獲取內容，在疫情期間訂閱數字大增的 Netflix，任你煲劇煲到頭暈眼花，都只是大概 78 港元一個月，其實跟食個快餐差不多價錢，不過吸到客也要留到客，用家不喜歡，可以隨時取消訂閱。好似瑞典一家權威媒體機構 Hallpressen 一度面臨讀者注意力轉移的挑戰，讀者發現在 Instagram 和 Facebook 上，朋友即時更新的本地足球比賽相片或車禍現場短片，均比 Hallpressen 的報道來得快，為甚麼要用錢買「過氣」新聞呢？針對這一點，Hallpressen 在 App 上加了「附近」（Near Me）的功能，來強化本地新聞內容的貼近屬性，讀者還可自選關注的地區，大至城市，小至街道，新功能上線後，下載量迅速增加，藉提升貼近性和即時性，來增強付費內容對用戶的吸引力。

Netflix 絕對是訂閱制的典範，其商業模式極其簡單，完全沒有廣告收入，其他業務也只是蜻蜓點水，幾乎全靠用戶的訂閱費來壯大規模。截至 2020 年第四季度，全球突破 2 億付費會員，與此同時，營業利潤達到46億美元，自2011年以來，Netflix現金流首次正數，總市值超過2,200億美元。從Netflix身上看到影視串流產業的縮影，誰的平台內容愈豐富、愈對口味，愈能贏得更多會員，Netflix憑著「荷里活X矽谷」模式，令這個內容產業強大起來。

香港財經界亦愈來愈多「專家」推出付費訂閱頻道或課程，如「英Sir前瞻」黃國英、「股市漁夫」莊志雄、「我要做股神」施宏毅等，這類付費內容無疑獲不少鍾意聽貼士的股民熱捧，一個月幾百蚊對炒開股票的人完全不算甚麼，當然某些專家的真正目的，不是教你投資，而是希望你畀錢他們投資，這才有肉食呢！

二．抽佣制

最早期的直播平台，商業模式很簡單，一方面出售「門票」，誰看誰付費，另方面靠廣告收入或贊助，但這兩種模式無法帶動直播變成為全民運動，真正讓直播在國內火起來，是創新的「土豪打賞模式」。觀眾真金白銀購買虛擬貨幣，用以換取禮物打賞給喜歡的主播，當主播想把禮物變現時，平台會收取一定比例的費用，如虎牙、鬥魚等熱門平台會抽佣 50%，另公會抽佣 10% 至 20%（部分平台沒有這個環節），主播一般可拿走 30 至 40%，如果背後有經理人公司，則再分少一點。有直播平台研究過，那些願意送大禮的人非常享受打賞後萬眾矚目的感覺。

內地在直播平台興起前也有網紅，他們雖擁有很多粉絲，但獲利渠道較少，大部分選擇與電商合作，從粉絲身上獲取利潤。直播平台崛起後，絕大部分的網紅都投身其中，甚至放棄原有的電商業務，專職做直播，因為網紅的明星效應，可以在直播平台上直接「變現」和不斷強化，粉絲數量愈多，網紅自身價值愈高，其他商業合作如品牌代言、植入廣告等，也會紛紛找上門來。論最賺錢的網紅，年收入從以往無直播的百萬級，躍升到有直播的億萬級。2018 年 11 月香港藝人孫耀威首次為虎牙做直播，一度引來 350 萬粉絲觀看，收取可兌為現金的禮物總值逾 7 千萬人民幣，據知孫耀威「實收」7 位數港元，並獲虎牙以 5 千萬港元邀請加盟。其實孫耀威之所以加入直播行列，事緣有網民將其商演中唱《愛的故事（上集）》的片段上載到抖音，並得到 55 萬次點讚，令孫耀威決定現身抖音，而每次開播都有逾百萬觀看人次，你話可以累積的事業資產幾咁重要，25 年前的作品到今時今日還有「利用價值」。

三 . 廣告收入

KOL、網紅作為自媒體，一般情況粉絲們是認同他們的理念、專業、想法、做法才會 follow，具有個人情感的屬性，故黏性比較高，推廣效果更好。最簡單莫過於為品牌寫推文，我有個朋友 Facebook 有 10 萬人 Like，閒閒哋一個 post 有幾千個 Like 和幾百個轉載，為品牌寫幾百字就有幾萬元，他常說一個月寫幾條 feed 已經夠使夠用。寫幾百字收幾萬元，聽落好易賺，但要知道長城也不是一天建成，他幾乎隔日出 post，短則一、兩千字，長則兩萬字，內容涵括其專業、時事之類，見解獨到，獲大眾認同！賣廣告可以很直接，例如美容、化妝類 KOL 最常拿著產品示範嗡吓有幾好用之類；間接一點，會用植入式，例如做 live 或者拍短片時，產品唔覺意被攝入鏡頭，細小如飲品、零食，大件如按摩椅，我都見過。最高章莫過於睇完成條片才知道是廣告，這點 100 毛、試當真和微辣做得非常出色。

KOL、網紅比起一般明星，是個活生生、有感情的人，跟觀眾距離較近，內容較貼地和令人接受。在長年累月的廣告轟炸下，觀眾開始對明星代言的廣告麻木，很多時自動過濾了內容。但是，一段 YouTube 的「開箱片」卻包含著網紅的即時反應和感受，即使是預先編排的廣告，但觀眾還是覺得比較有趣、比較真實。當然，難保十年後這些網紅的開箱片將如廣告般淪為被自動過濾的內容。近年有一個新趨勢，就是不少品牌開始棄網紅用素人，素人透過在 FB、IG 貼相獲取免費產品或試食機會，或者賺三幾百蚊，雖然他們的 follower 不夠網紅多，但有鼓勵圈子內的朋友消費之效，他們認為素人形式夠貼地，宣傳力度強，而成本相對較低。

四．利用粉絲經濟的電商模式

正如前文所說，粉絲黏性高、信任度高，發展電商賣東西，甚至建立自家品牌，是自媒體創造盈利的常用手段，識做可以做到上市。像前藝人袁彌明當初也是由拍片起家，可說是第一代的美容 YouTuber，儲了一大班追隨者，她發現每每在片中分享過的產品都賣斷市，本來對此商機不以為意，直至她介紹了一款在香港買不到的美國健康食品「綠粉」，還說可以幫大家訂購，結果收到幾百個訂單，她親自在各區 Starbucks 交收，生意由此展開，最後甚至打低屈臣氏取得該品牌的香港代理。她專門在世界各地找一些不太知名的品牌產品，遠至南非、以色列都有，經她一介紹，就算粉絲不熟悉，但都會看高一線，冷門有冷門好，競爭相對較少，但前提是累積良好的信譽度。

還有 DayDayCook，喜愛烹飪的朋友應該不會陌生。2012 年創辦人朱嘉盈（Norma）棄做 iBanker，建立煮食網站，拍片放上 YouTube，同時開班授徒，吸納大量忠實的年輕師奶粉絲。2015 年她在上海開設分公司拓展內地市場，2016 年分別獲得 A 輪及 A+ 融資，合共 7,000 萬人民幣，投資者包括中國合一資本、MFund 魔量基金、500 Startups 和阿里巴巴。現時主要收入包括與不同品牌商合作銷售再分成，將商品植入《烹飪教學短片》、《趣食》、《辣椒測評系列》等節目中引導消費決策，最終在 APP、網站、淘寶和線下超市多個管道完成銷售。舉例說，DayDayCook 和國內最大的三文魚進口商合作，視頻教學三文魚的烹飪方法，同時在歐尚、家樂福、沃爾瑪、綠地超市等管道進行銷售，另外，在香港率先推出自家品牌產品，如醬料、茶飲、速食包等。要做大平台，一個 KOL 是不足夠的，故 DayDayCook 培育不同女性廚師 KOL，製造穩定的內容輸出，為商業變現多一重保障。

HEA 評：媒體的關鍵就是內容，尤其起步階段，要不斷生成內容才能吸客留客，基本上想 HEA 都難。好似香港網絡界「打機達人」達哥（林慧韓）由 2011 年 9 月開始，每晚風雨不改九點半直播打機兩小時，邊闖關邊評論邊與「巴打」聊天，三年後平均每晚有 7,000 至 8,000 名觀眾，多則過萬，一直堅持到 2019 年 6 月 6 日宣佈暫停直播。這數年間達哥的確接了不少廣告和代言工作，遊戲產品或者與之無關的都有，最深刻的莫過於 Expedia。不做直播會不會影響生意？如果是長期性，一定有影響，很多品牌就是買直播 KOL 的號召力，往往從觀看數字量化出來。就算好似袁彌明做到間公司上市，夠成功喇啩，走去其公司 Facebook 一看，只計 2021 年 5 月份有 19 條由她自己擔綱演出，拍片要度橋要時間，還要巡舖管理員工尋找新產品之類，愈成功似乎愈辛苦。

成本方面，如果搞間電子傳媒、網上電台，基本上是燒錢，有幾多燒幾多，如果只是想做個 KOL 的話，其實成本不高，基本有部智能電話，寫文影相拍片剪片後期乜都搞掂，不過靚唔靚就另一回事。當儲夠一定數量的粉絲，自然有商機拍門和資金進駐。至於爆發力方面，可以非常驚人，當年袁彌明一條幾分鐘的「綠粉」使用分享，一下子來了幾百個訂單，在內地更誇張，被網民稱為「口紅一哥」的網紅李佳琦，活躍在淘寶直播和抖音，只要是他試過的唇膏，銷量都會大增，最高紀錄是在一分鐘內賣出了 14,000 枝的唇膏。

但不是粉絲多就一定賣到開巷，外國有一位 19 歲少女 Arii 試圖利用美貌和 200 萬 IG Follower，為自己建立一個時裝品牌。第一擊是賣 Tee，但最後 Arii 竟然賣不出 36 件！ Arii 事後在 IG 出 post 說非常失望，埋怨 Follower 最初話有興趣，到落訂又沒人「keep their words」。不過有人翻查 Arii 的 IG Feed，發現她根本沒有推廣過這件 Tee，在眾多的 IG 照片中，只得兩個 Post 輕輕提過，沒有好好經營這盤生意，只一味貼自己的靚相，更有人提議她學習其他行家如何在自己的社交媒體表現自家品牌。

3.5 傳統商業模式結合科技

大家常說做生意要與時並進，創新是否代表進步呢？進步是否代表賺錢更多呢？顛覆性的改變不一定完全由技術進步推動。所謂商業模式創新，就是對待同一門生意，產品和服務大致一樣，但創業者發現與眾不同的獲利模式，或者改變提供的方法和流程，造成差異性，帶來某種優勢。日本 7-11 的「SEVEN CAFÉ」屬改革流程的例子，由顧客自己而非店員去斟咖啡這點，就跟既有的 Coffee Shop 和快餐店的做法不同，因此 7-11 可以輕鬆地以 100 日圓的低價，提供顧客等同於 Coffee Shop 的同質咖啡，也不會因收銀台多人排隊或效率低而讓顧客久候，同時店舖也沒有增加人手的需要，買賣雙方都產生出新的價值。

2008 年成立的團購先驅 Groupon，最開始是聯合消費者向商家壓價的模式，當中沒有太多技術含量，但相對於傳統的買賣交易，改變了供求雙方的買賣流程和議價力量的對比。消費者得到優惠，商家減少銷售成本亦樂於薄利多銷，平台有佣抽，達至三贏局面，這種模式迅速掀起全球抄襲浪潮，一時間冒出數以百計的競爭對手，如 LivingSocial、Tippr、BuyWithMe、WagJag、ScoutMob、Woot、Slickdeals、

1Sale、Kgbdeals 等，中國大陸更加誇張，根據統計，截至 2011 年 9 月團購網站高達 5,058 家，龍頭有美團、大眾點評、百度糯米，但截至 2014 年 6 月，只剩下 176 家，排名前五的團購網站，市場份額佔有率超過了 99%。結論是模式創新不像技術創新般堅固，很易被模仿，甚至被超越，故只有先發優勢而沒有絕對優勢，構建的競爭壁壘比較低，所以加些少技術和或客制化的概念會比較穩陣。

懶人盒子模式

一般上網買衫，不就是自己選好貨品埋單等送貨，而美國有個時裝網站 Stitch Fix 突破傳統，採取訂閱形式，會員可選擇以每月、每兩個月或每季的頻率收取 Stitch Fix 的服裝組合，每個組合內有五件衣服，試穿後只須購買喜歡的衣服，其餘則免費退回，依照購買件數會提供不同優惠。如果冇件鍾意，才須支付 20 美元的設計費。Stitch Fix 以演算法推薦為基礎，除了透過用戶在註冊時填寫的一系列資料和後期的購買行為資料外，Stitch Fix 前端甚至連結會員的 Pinterest，再由造型師參考購買機率、重複性等資訊，搭配不同品牌的商品裝在盒子郵寄給客戶，Stitch Fix 可說是懶人式購物，優勢在於成功縮短消費者購物決策的時間成本和賦予客制化的全新價值。同時 Stitch Fix 亦能透過演算法提升倉儲效率，依據顧客的購買紀錄而彈性調整庫存，以及計算出送貨的最佳路徑，減少時間浪費和損失。Stitch Fix 成立於 2011 年，2017 年上市，根據公司財報，2018 年度的營收為 1.2 億美元，盈餘為 4,500 萬美元；至 2020 年第四季度累積使用者達 350 萬人。同樣的產品，但 Stitch Fix 用一個全新方法包裝銷售。

這種懶人盒子的商業模式，也伸延到不同界別，成為近年外國流行的消費趨勢。寵物界代表有 BarkBox ，客戶每月支付 20 至 29 美元，在訂閱時填入狗狗的品種、體形、年齡、喜好等，便會收到一個裝了至少兩款玩具、兩款高質零食和一款咀嚼物的客製盒子。最初開始 BarkBox 使用其他開發商的玩具和零食，隨著用家的意見回饋以及購買模式的分析，BarkBox 於 2012 年 12 月開始自己設計和生產，現在 BarkBox 90% 的禮品屬自家出品，消費者在其他地方找不到，因此掌握更大的控制權，成功製造差異化。BarkBox 還跟

Target 合作，現於 Target 所有零售店和網點都有銷售 Bark 品牌的玩具和零食，為線下購買提供便利。九年間 BarkBox 由一家狗狗禮品訂閱公司，發展成價值 860 億美元的寵物全方位大型企業。

有內涵的健身單車

在香港買一部健身單車，平平哋一千元有交易，二、三千元算高規格，而美國健身器材公司 Peloton 推出的健身單車，價格高達 17,600 元，每月還須繳付最低 450 元訂閱課程費用；跟傳統不同之處，除配有能夠計算心率、步伐變化的 30 吋觸控熒幕外，每天可收看高達二十堂由名師直播的教學課程，結合團體課程概念，如顯示其他玩家的成績排名，以便自我激勵，讓消費者更有動力；直播完畢後，影片還可上傳雲端，方便隨時操過。《福布斯》雜誌形容，Peloton 讓常見的運動器材「再生」，其實透過內容帶動硬體銷售的策略，各品牌大廠一直都努力嘗試，稱不上奇招，反而是「居家健身」的潛力被激發出來，賦予新的價值。Peloton 光推出健身單車和跑步機兩款產品，已成為全球最大的健身獨角獸初創公司，成立於 2012 年，2019 年 9 月在紐約上市，募集資金超過 11.6 億美元。新冠肺炎疫情令健身房強制關閉，帶動公司的訂單急速增長，股價亦上升四倍有多。

Peloton 的傑出表現吸引了新參與者進入市場，如 Nautilus、NordicTrack 等，這些競爭對手都首次推出了自己的聯網有氧運動產品，但 Peloton 看上去尚未需要擔心，暫時 Peloton 的 Google 搜尋量是下一個競爭對手的四倍，YouTube 短片觀看次數也領先成條街，即使競爭會削弱其領導地位，但預計互聯健身類別的中期年增長率將超過 30%，即容許市場有多個贏家出現。

不要告訴我，你的行業很傳統、很規範、很難變，你看健身單車、跑步機不是出現了幾十年了嗎？當結合科技網絡、內容營銷、訂閱潮流，即達到意想不到的效果，所以別小看自己的行業或產品，沒有做不到，只有想不到。

我的座右銘是用同一個方法，不要錯兩次，如果你選的路是錯的，無論行幾多次，都不會到達你想去的地方。

人生及生意也沒有一定法則
不要畫地自限

min
education
MAX

chapter
four

創業點評

4.1
創業點評：自助洗衣加盟店 回本期長沒保障

24 小時自助洗衣店算是近幾年成熱門經營項目，當中很多以特許經營模式營運，高峰期一度每四日開一間，兩年暴升至 200 間。為何短時間內愈開愈多？何來大量需求？香港地，基本上所有問題都是「土地問題」，劏房、納米樓當道，室內未必放得下洗衣機、乾衣機，加上早出晚歸工時長的上班族又未必夾到時間去傳統洗衣店磅洗和取衫，自助洗衣店漸漸成為不少劏房戶、單身窮忙族的必需品。所以低收入地區或劏房集中地，自助洗衣店尤其多，如深水埗區粗略計算都有 20 間，平均三幾百米一間，跟便利店一樣「梗有一間喺左近」。我有個學生阿強，兩年前正正在深水埗開了一間，他住同區，亦是用家，平時不同時間行過不同自助洗衣店，都觀察到有數名客人正在使用，腦裏盤算著有人用即是有需求有商機，對於有份正職的他來說，自助形式代表不用自己或請人打理，最重要是 24 小時營業，睡覺時有機器幫他賺錢，心想：「今鋪仲唔輪到我 HEA 富？！」

對於洗衣行業完全沒有經驗，最快最慳水慳力的方法就是做加盟店，於是他選了其中一個大品牌，找了一個 200 呎鋪位，放了五部洗衣機和五部乾衣機，裝修租金雜費連加盟費等，前期投資約為50萬元左右，他覺得本金不多，可以博一博。加盟商跟他分析，預計每月營業額約5萬元，盈利約2萬元，回本期大概兩年半左右，我就覺得時間太長，兩年後業主可能加租或不租給他，這條數還要以最理想的營業額計算；若生意不似預期，回本可以話遙遙無期。我有朋友經營漢堡包店四個月回本，這才做得過。但阿強覺得兩年半沒問題，認為有專業公司做後盾，維修保養有他們負責，覺得非常有信心。

話咁快開門做生意，是否真的甚麼都不用理、蹺埋手等收錢呢？阿強發現問題天天都多，例如客戶將硬幣入錯位置、倒瀉洗衣粉柔順劑沒清理、洗完衫沒拿走、機器輪流出現毛病甚至壞掉……經常性通知加盟商來維修，有時被拖延，有時整完又壞，停機時有發生，機不動即零收入，阿強漸漸變得精神緊張，經常不自覺監視著CCTV畫面，「見到啲人狂塞啲衫入去，過晒線都照塞，我就會好忟憎，咁會整壞部機吖嘛，壞咗又要整，間中見到間舖一個人都冇就囉囉攣，見有人入去先鬆一口氣。」至於營業額，說好的5萬元從未出現過，開業頭一年每月平均3萬左右，當附近出現另一間自助洗衣店，而對方採取減價策略搶客，營業額開始下滑，疫情期間有幾個月甚至只得1至2萬，

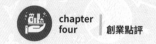

扣除兩萬多營運成本，基本上要蝕錢。「價格係加盟商訂立，除非全線做 promotion 先有得平畀啲客，試過同佢哋講疫情期間可唔可以減少少行政費，當然唔肯啦！」以為印印腳有被動收入，結果勞心勞力，連日頭份工都大受影響，決定連鋪連機連約轉讓，最後蝕十幾萬收場。其實上網 Google 一下「自助洗衣店頂讓」，即時刻彈出大量選擇，十八區任揀，阿強甩到身算執番身彩。

Hea 富點評

成本優勢：★★★（滿分為★★★★★）

開業成本 50 萬港元左右，一人獨資，話多唔多、話少唔少，屬於入場門檻低的生意，沒有任何技術可言。有資金，租個地舖，任何人都可以加盟，故競爭大，難有優勢。另外，毛利低，回本期兩年半起，期間老闆完全沒有收入，很難有推動力做下去，預期熱情減退後，會覺得自己「有自唔在攞苦嚟辛」。

成功後舒服度：★★

雖說是「無人經濟」，客人自己洗自己乾，但舖頭出現任何問題都是找老闆，一日幾十人洗衫，總有幾個人出問題 call 客服，誰是客服？阿強是也！到機器出問題，貼封條、通知加盟商、等人來維修、再驗收，雖然瑣碎，但一切都是工夫。放工巡舖變成阿強的日常，為了節省成本，半夜三更打掃清潔是常態，阿強終於明白「不需人手」，只是口號。

爆發力：★

空間有限，機器有限，限制了客人數量，洗加乾一機衫需時 30 分鐘，每組機一日最多服務 48 個客人，五組機即是 240 個客人，平均每人消費 50 元。如果無間斷一個客接一個客，每日營業額可達 12,000 元，當然這與現實情況有很大落差。但理論上若要擴大營業額，唯一方法是租更大地方放更多機器，成本增加與營業額增長成正比或更高，所以不算有爆發力。

控制權：★

阿強能控制的只是店舖地點，公司命脈完全掌控在加盟商手上，用甚麼機器、洗衣粉品牌、幾時派人落舖保養維修、洗衫乾衫訂價、收款模式，都不是自己話事，甚至每月收入都是加盟商扣除行政費乜費物費後存入其戶口。生意好時沒所謂，有錢齊齊搵，但若然市道不好，業主不肯減租，加盟商照收行政費，水電煤冇得走雞，根本不能控制成本。想增加控制權，最直接方法就是自己開一間「阿強自助洗」，其實成本差不多，只是前期工序比較繁複，各方面安置好後自動運作，跟經營一間加盟店沒多大分別，但控制權方面則大大增加，何時減價加價，選用貴價或平價洗衣粉，全部可以自己決定。別小看細節，成本分別可大；若然打理好自家品牌，大可轉做加盟商，到時爆炸力就完全不同，這屬於可以累積的事業資產。

4.2
創業點評：滑雪用品店為興趣死撐到底

如果有留意我的社交媒體，應該知我是滑雪愛好者，一到雪季，總會去日本滑四、五轉，貪近近哋兼有粉雪。以往不滑雪的話，雖然冬天仍會去日本，賞雪浸溫泉，再賞雪再浸溫泉，循環不息，漂亮是漂亮，舒服是舒服，但少了一份興奮的心情。講真如果不滑雪，去到漫天風雪的極地，在路面行 10 分鐘都嫌太久。早幾年認識一個專搞滑雪團的老闆，他本身是滑雪教練和超級愛好者，2009 年毅然辭去薪高糧準的銀行工作，現於旺角和銅鑼灣開了兩間樓上舖賣滑水和滑雪用品。當時市場上已有一個壟斷市場多年的 X 字頭強勁對手，我有個雪友與 X 字頭老闆識於微時，他們九十年代初已開始滑雪，那時會滑雪的一是有錢人，一是喜歡極限運動的年輕人，或兩者皆是。隨著香港經濟愈來愈好，機票愈來愈平，飛日本的廉航機票三兩千蚊有交易，放假去旅行已成香港人常態，一年三、四轉很平常，滑雪成本亦較十幾年前低很多。再加上這幾年多了明星在社交平台 post 相加持，即刻 chill 晒，梁朝偉、劉嘉玲、陳奕迅、徐濠縈、陳小春、楊千嬅、容祖兒、蔡卓妍、謝霆鋒、陳偉霆……原來跟你滑同一個雪場、排同一條 chairlift，嘩，幾 high 呀！

說到這裏，是否覺得滑雪團老闆一定發過豬頭呢？又不是喎！話就話香港滑雪人口增加，但到底仍屬小眾，在 Facebook 關於滑雪的專頁讚好或群組人數，一般只是一萬幾千。跟他傾過，坦言當初開舖只是「為興趣」，生意並不好做，第一年入不敷支蝕錢，拍檔即打退堂鼓，他則用盡多年積蓄撐著，苦苦經營幾年才開始轉虧為盈。究竟他做了甚麼，令這盤生意出現「生機」？搞滑雪團是也。

滑雪團不似一般旅行團搵架旅遊巴載你到處遊山玩水，滑雪團只有一個目的地，就是雪場，有些團會留在同一個 Ski Resort 玩足七日，行程是機場－雪場－機場，完！隨團的不是口齒伶俐的導遊，而是專業的滑雪教練，團友可預約他 / 她私教，須另外收費。一般滑雪團的價錢都相當實惠，飛北海道機票連六晚酒店包早晚自助餐 ski pass，萬三蚊有找，分分鐘平過自己 book，又不用煩。所以滑雪團勁受年輕雪友歡迎，很多時一出即爆，我說的當然是疫情前。我問過老闆，團費便宜到如斯地步，如何賺錢？他透露需要一早向航空公司和酒店下大額訂單以換取較高的折扣優惠，Peak Season 爆起來一團三、四十人，Off Season 只有十幾人，估計拉勻賺四、五萬一團。但別忘記，滑雪團屬做一季養全年的生意，而且他還有兩間舖要養，扣除各樣成本，每月收入可能跟以前打份工差不多，正常情況下都難賺大錢，遇上世紀疫症就更不用說，20/21 年日本雪季已無望，21/22 年亦不敢樂觀。撇除疫情，他這盤生意的問題是欠缺特色，未能成功營造品牌特性，跟坊間滑雪團的分別只是價錢。據我所知，其中一家競爭對手出名低價，潛在客戶報不到這家的團，才退而求其次選擇他，如此下來根本不能提高團費，盈利備受限制。最大問題是，客戶的歸屬感不屬於公司，而是忠於隨團教練，教練日頭教滑雪，夜晚陪食飯飲酒，教得好玩得開心照顧到位，下年自然找回他；如果他轉公司，客戶跟著轉亦很正常。早兩年接二連三出現教練自立門戶撬走客戶的情況，令這位老闆相當頭痕。

截稿前疫情仍然持續，他惟有專注樓上舖生意，以往會有團友聽完教練介紹，出團後返來幫襯買雪板雪 boots 或護具之類，形成協同效應；但冇雪滑的日子，產品滯銷在所難免。幸好天無絕人之路，在疫情期間被老闆發現有一類產品突然需求大增，就是滑板，我有不少從來沒踩板的雪友，這一年悶悶吔都買塊落街踩吓止癮。暫時賣滑板的收入尚可支持公司運作，

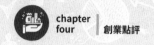

但若然持續封關，前面的路只會更加難行。我常說興趣和生意不能混為一談，如果你的興趣可以令你豐衣足食當然沒問題；但若然跟打份工差不多，甚至要貼錢做，就不要浪費精神時間。你喜歡滑雪，一年滑五、六次，甚至請幾個月假滑到夠為止，將它變成生意，壓力形成，就很難去享受了。

Hea 富點評

成本優勢：★

雖然樓上舖租金不及地舖，但兩間夾埋六、七萬走唔甩，加埋人工雜費，每月開支 10 萬元算保守。滑水和滑雪用品屬季節性產品，各品牌每年都會推出新品，作為代理商，每款每碼一般會入手數件，兩、三千元一塊 Snowboard，每年入貨六位數字很平常，成本很高，毛利卻不高。最慘是轉眼一年就變成月下貨，減價清貨，分分鐘要蝕賣，始終不是自家品牌，無論成本和盈利都被局限。另外，隨著網購愈來愈方便，很多外國網站均提供直送香港服務（以往要集運），款式又多，價錢又平，以我的經驗，想在香港買塊合心水的 snowboard 或者合尺寸的 boots 絕對不容易，因為頭大，連頭盔都買不到。始終香港市場細，門市入貨不多，在這方面完全缺乏競爭力。

成功後舒服度：★★

其生意分兩個層面，樓上舖屬零售，滑雪團屬服務。零售方面，當一切上了軌道，員工專業貨源穩陣客戶忠誠，基本上工作量不大，只要閒時巡舖、發掘新產品即可，間中舉辦一些推廣活動，投放的時間心力不會很多。反而滑雪團方面需要親力親為，由買機票、訂酒店、傾折扣，到設計行程、安排教練、訂團費、宣傳推廣，可以話一腳踢。開季前多的是準備工夫，開季後又要隨團觀察，有一年我見他差不多整季留在日本，只是間中回港見見老婆仔女。

爆發力：★

店鋪空間有限，限制了貨品的數量，要擴大營業額，唯一方法是租更大的地方或者開設分店，又要投資一大筆錢在裝修傢俬和聘請員工上，成本急劇增加。至於滑雪團方面，一團人數亦有限制，更多的客人，只能加開另一團，機票、酒店、交通成本依比例增加，故爆發力非常一般。

控制權：★

租別人的舖位，賣別人的產品，成本都被控制了，最慘是某些好賣的產品，客人訂貨，作為代理商都拿不到貨，擺在眼前的錢都賺不到。至於滑雪團跟市面上的大同小異，沒有競爭優勢，變相被市場主導。

4.3
創業點評：直播賣百貨 營業額過百萬

我因主持電視節目時認識 70 後「鞋佬」Jaguar，他是「Love Vintage 女鞋國」的老闆，聽他的創業經歷，跟我做生意的概念有點相似。我常說創業前最好做前線銷售員，了解行情、建立人脈，而鞋佬 19 歲已經開始賣女裝鞋，當成為店舖的 top sales 後，其老闆以三倍人工利誘他轉做行街 sales，每天拖喼推銷，認識不少鞋店和造鞋工廠的老闆，這就是他的事業資產。一年後，一個工廠老闆支持鞋佬自立門戶，提供貨源和 60 天數期，他收完客錢才向工廠訂貨，可謂零風險，亦是我一直推崇的左手交右手生意。說到這裏，這盤生意著實相當乎合 HEA 富四大法則，首先成本低，鞋佬只花不夠 3,000 元創業，包括申請商業登記以及印製產品目錄，同時成本不會因為訂單增加而以相同比例遞增，故具有一定程度的爆炸力；最重要是訂單多也不會辛苦，他只須分別於春夏及秋冬兩季各花一個月時間行街見客，其餘時間跟單補貨，「HEA」做三年，每月收入已超過 8 萬元。

當然每個生意人都想進步，鞋佬跟表哥拍住上在內地開舖賺人仔，食住「港風」條水。第一年各分 200 萬人仔利潤，本著「贏就谷、輸就縮」的理念，一口氣開多三間，並引入五間

加盟店，開始自設廠房，掌有全部控制權。又廠又鋪，聽落成本不會低到哪裏，一下子風險大增。2006 年開始，淘寶的出現改變顧客的消費模式，實體店面臨極大考驗，鞋佬幾間門市的生意一落千丈，不少顧客影完相就走，搞搞震冇幫襯。捱了四年，終於在 2010 年結束內地業務，將之前所賺的都輸掉了。做廠做鋪就是有一個壞處，生意不好，租金人工燈油火蠟都要硬食，儲備話咁快燒光。衰開有條路，原本在香港的批發生意，也因商場大業主將小店趕走，令其客戶數目大跌九成，低潮期維持數年。以往一個鞋款生產量約 600 至 700 對，後期僅剩 60 至 80 對。不過致命一擊是接了一張來自上海網紅的 4,000 對絹面波鞋訂單，原以為「好筍」，怎料製成品過不到 QC，要賠償 160 萬元人民幣。鞋佬即趕往上海求負責人網開一面，你又怎估到對方開出的條件是要鞋佬幫網紅打工，擔任採購、生產及品質管理。於是鞋佬結束所有中港生意，疊埋心水做網紅背後的男人，做了 8 個月，因人士變動被炒，2015 年底正式失業。

鞋佬無所事事，釣了兩年魚，不斷思索未來方向，他突然想起那位網紅。網紅每月只做一小時直播介紹產品，卻換來一、二千萬人民幣的生意額，他決定有樣學樣，斥資 100 萬港元買貨和買名牌禮品，2017 年 8 月正式在 Facebook 專頁做直播賣女裝鞋，每週一次。第一個月只賣出八對鞋，卻送了 35 萬禮物；第二個月賣出十二對；第三個月賣出廿四對。數目雖少，但增幅以倍計，證明方法正確。2019 年 12 月每月營業額已高達 500 萬元，爆炸力驚人。做直播的好處是老闆逐對鞋講解分析，份外親切和令人有信心，而且客戶有問題可以即刻答到，增加黏著度。

當女鞋國上了軌道，為了令自己「冇咁得閒」，遂於 2019 年 10 月創立「鞋佬生活百貨」，沿用以往成功的直播模式，由合作的供應商提供貨品，鞋佬負責 Facebook 直播銷售，最後按出貨量抽佣。由於兩年來女鞋國建立了一班忠實的客戶群，令生活百貨贏在起跑線，加上以全港最低價作招徠，發展迅速，沒多久每月生意額已逾七位數字。2020 年 2 月疫情爆發，內地工廠停工，女鞋國沒貨可賣，就算之後再開 Live，生意額急速滑落，生意額跌至每月 80 萬左右。與此同時，生活百貨卻成逆市奇葩，最初一星期搞一場直播，大概 80 萬至 120 萬生意額，之後加至兩場，甚至三場，令公司繼續有現金流，救回女鞋國。鞋佬謙稱自己好彩，但怎會這麼簡單，我認為一個精明的生意

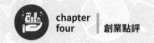

人必然具備前瞻性、危機感和行動力，永遠有兩手準備。鞋佬明白一間公司不能單靠個人努力，於是找了兩個拍檔和培訓了幾個網紅幫手帶貨，至 2021 年 5 月尾卻出現內部問題，拍檔、網紅一起離開，兜個大圈鞋佬最後又是一個人做番晒，百貨連女鞋一星期開三晚 Live，間中還加插快閃突襲，現在想得閒都幾難。

Hea 富點評

成本優勢：★★

女鞋國起步時，開業成本 100 萬港元，一個人全資，不算少。但網上生意的優勢是營運成本低，Facebook Live 免費任用，只要廣告費控制得宜，吸客有道，絕對有利可圖。但控制成本似乎是鞋佬的弱項，一開始每月會用生意額的 10% 賣 Facebook 廣告，第一年他認為 OK，但當生意額瘋狂爆上，變相個個月四、五十萬，雖然他覺得將這個金額投放在同一個平台不太值得，但並沒有作出任何調整。另外為了進一步擴大客戶群，鞋佬曾一擲七位數字賣地鐵、巴士廣告，燒完錢，效果卻不大。鞋佬也自認不是一個管理型的老闆，生意膨脹時，瘋狂請人，高峰時公司有三十幾人，當中有幾個還要高薪挖過來的，月薪高達二十萬。雖然營業額驚人，但支出實在唔嘢少。

成功後舒服度：★

如果只是做女鞋國，鞋佬只須每星期做一次直播，參與產品設計和客服訓練，其他落單送貨等手板眼見工序交由下屬處理，不會佔他太多時間。不過他搞多個生活百貨就不同講法，雖然同樣是直播，但講鞋的話，以鞋佬的專業，基本上不用準備都可以噏兩個鐘;但介紹別人的產品就很難即興，每場五、六款，保濕面膜、護髮精華、維他命丸、威靈頓牛柳……甚麼類型的產品都有，直播前必須花時間看資料做功課，甚至試用試食才能說出第一身感受。雖然他企圖複製幾個「鞋佬」分擔工作量，但事實證明，如果團隊理念不一致，以及沒有一套完善管理制度，很難成事。

爆發力：★★★★★

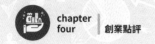

鞋佬都話「爆到自己都驚」，女鞋國由第一個月 4,000 元生意額，第十二個月 160 萬元，第廿四個月 500 萬元，兩年間增長了 1,250 倍。至於生活百貨，我有朋友試過將產品交給鞋佬直播，上架 5 分鐘，全數 100 份售完，銷售速度驚人。

控制權：★★★

鞋佬成功建立自家品牌，女鞋國和鞋佬生活百貨的 Facebook 專頁分別超過 6.8 萬和 2 萬 Like，鞋佬負責直播，客戶和口碑都屬於自己的，不容易被取代。另外他的女鞋打中價高質市場，一對鞋企硬 500 至 700 元不等，外面如何鬥平鬥賤與他無關，唯一不穩定性是貨源，雖然找工廠代工可省下設廠成本，但 QC 方面就要加緊注意，找到一間可靠的代工廠非常重要。不過若然代工出現問題亦有辦法解決，只要換另一間即可，就算沒問題但加價，又換得。始終品牌是自己的，只要保持品質，背後哪間工廠製造，who cares ？

至於生活百貨，鞋佬在供應商和產品篩選方面相當嚴格，但不是自家出品始終存在變數，當質量或物流出現問題，平台有機會被負評。不過最大隱憂是 Facebook，鞋佬曾表示廣告花費雖愈來愈高，但觸及率和轉化率卻愈來愈低，同樣的預算只有以前的三成效果，其實很多靠 Facebook 做生意的商戶都面對同樣問題，Facebook 就是睇死你們走唔甩。其實一盤生意單靠一個平台非常危險，我有個直播賣名牌的朋友表示，其經營八年的專頁帳號有日突然被無故封鎖，當刻相當徬徨如何找回那兩萬個 followers。於是他立即開多幾個專頁，再通知舊客，但人數已大不如前。其實鞋佬早已察覺問題，並部署進軍淘寶，我們就拭目以待。

4.4
創業點評：生髮中心使用別人品牌出事

脫髮煩腦，男女皆有，當然男士會更加困擾，因為多屬先天遺傳問題，難以徹底根治，地中海、M 字額、禿頭，聽到都打冷震；不少三十歲仔已開始稀疏，問題似乎愈趨年輕化。跟搵錢一樣，有人很快認命：「阿爺同老豆都地中海，遺傳嚟，冇計啦！」即是老豆窮，你就要跟住窮？亦有很多人反對「複製貧窮」這一套，無論錢和頭髮，沒有？用盡方法爭取！有人會選擇食藥，即使知道負作用包括影響性能力；有人選擇做增髮 Treatment，幾萬蚊一個療程在所不惜；有人選擇植髮，痛定思痛，一了百了，好似英國球星朗尼，有報道指他 26 歲時已花 3 萬英鎊植髮，在其自傳中更曾透露自己每次照鏡都會自言自語：「哎，我還這麼年輕，卻這麼快就要禿頂了。」《少林足球》二師兄金句「點解我生得咁靚仔，但係甩頭髮」不單止為引你笑，根本是很多男人的心聲。常說女人錢最易賺，其實如果男人覺得那東西很重要，多多錢都肯畀，而且不會婆婆媽媽左度右度。所以近幾年專門針對男士的生髮公司如雨後春筍，討論區亦有很多男士分享資訊，大家不外乎關心療程有效與否，價錢合不合理，有沒有用家推介。

我經朋友介紹幫襯過一間生髮防脫中心，他聲稱其朋友做了半年 Treatment，頭髮濃密了，效果不俗。我見兩萬多元一個 package 包十次療程，可以一試。至於用後感，體驗不錯，效果就不說了。中心坐落甲級商業區某甲級寫字樓，室內設計簡潔舒服，以房間為主，一房一客，私隱度高，服務我的技術員亦很專業。該療程最重要的程序就是用一個滿佈小針刺的小滾筒在頭皮上轆來轆去，所謂的微創式育髮，每次都超痛！該中心不避嫌讓你知道療程使用的產品品牌，我返家 google 一下，即刻找到品牌的官方網頁，所有產品如洗頭水、精華等價錢一目了然，連那部分析頭皮的儀器、針轆都有得賣，加加埋埋都不夠一個 package 的價錢。我想表達的不是這間公司食水深，package 價錢當然包硬件機器洗頭水精華素燈油火蠟，但單對單的「專業服務」才是最值錢部分，就算知道那個轆只值港幣四百元，但我不會買個回來自己轆個頭囉，萬一轆傷頭皮，你話幾戇居。

而重點是我 google 到，即代表其公司員工，甚至客人都可以輕易找到貨源，亦知道這門生意「有水位」。據我所知，有一個客人已成功在該公司挖走幾名猛將另起爐灶，猛將的優勢是有技術有熟客，可以很快開業。不過若然挖角不成，也不太愁，因為該品牌在其出產地有定期開班授徒，三日課程只需兩千多元，培育新人的成本不高。其實該中心老闆兩年前已開始覺得不妥，用死一個牌子的產品，相當蝕底。首先，如上文所講很容易被複製；第二，供應商見你全靠它，你覺得會爭取到最好價錢嗎？第三，萬一供應商不供貨，突然要找代替品兼說服客人使用，並不容易，要知道若然用得好有效果，客人一般都不想轉產品。為了減低成本和增加控制權，老闆著手建立自家品牌產品，然後慢慢滲入療程中使用，此舉無疑有點冒險，萬一效果不好，客人見髮量沒甚進展， package 用完便沒有然後，始終這門生意講求人傳人口碑營銷，沒有朋友介紹朋友，已嚴重影響生意，但長遠來說，這一步又的確有需要做。

做生意像下棋，聰明的生意人會算好之後幾步和預測到對手的反應，絕不會見一步行一步，這是最危險的。一開始用別家品牌的產品和技術開店，雖然是最快捷方便的方法，但注定被牽著鼻子走。如果那個品牌在香港本身就沒有知名度，何不一開始就找一間品質好的公司 OEM（代工生產），然後套自己的品牌上去，慢慢累積知名度和口碑，增加品牌價值，同時亦為這盤生意築起護城河，對家就算搶到你的人，亦用不到你的產品。老闆做了幾年才建立自家品牌，次序就調轉了。

Hea 富點評

成本優勢：★★

開業成本約 100 萬，每月營運成本約 30 萬，主要為租金、人工、水電雜費、頭髮用品等，約佔營業額三至四成；若然成功引入自家產品，或可降低成本，但切勿為慳一、兩萬元租金而搬去次一級地段，當客人感覺降格，就不會願意付出高價錢買 package。

成功後舒服度：★★★★

基本上我去過十多次都未見過老闆在場，如果公司上了軌道，的確不用經常出現，只須間中鞭策一下技術員主動銷售療程，揼數即可。不過現階段可能要用多點時間心力開發自家品牌產品，若然成功推廣出去，又會多一條財路。

爆發力：★★

如果只針對門市，爆發力不大，獨立房有限數、技術員有限數。若然客人增加，就必須擴大地方和人手，洗頭水都會用多一點，機器都要買多幾部，成本與營業額成正比增加。

控制權：★★

貨源不是自己的，成本、質素、供貨都難以控制，另外，生意好壞除了產品有沒有效，更看重技術員的服務，這影響著客人的體驗和觀感。客人與技術員的關係可以話比老闆和公司更加緊密，兩人單對單在獨立房相處兩小時，就算講公司壞話，辭職前撬走客人，老闆根本不會知道。要控制人心，其實是一門很高的管理學問。

賺錢不要急，財不入急門，
想通行動要快，機會不等人

min
education
MAX

chapter
five

投資簡報&生意的根

5.1 我的投資簡報

七、八十年代香港經濟起飛，機會的確多，正是發達容易、生活艱難的年代。你問問現時五、六十歲的人，不論行業，他們總是說「以前點點點好做」、「啲錢點容易賺」、「依家冇得做喇」……上一輩生意人，錢來得太容易，花錢也特別快和狠。娛樂圈是一個很典型的例子，七、八十年代發達的藝人，有一晚輸掉整個片場的、有全盛時期晚晚夜總會揸名車揮金如土，後來欠巨債需要子女代還的；同一時間也有大批人住木屋或板間房，這都反證了發達容易生活難的現象。

時至今日，社會發展完善，生活品質改善了;但發達難了，又走向另一個極端。現在盛行人人研究投資，務求將辛苦賺來的錢儲起來，再運用所謂「不勞而獲」的股票投資令財富升值，其實所花的時間比打多一份工更甚。再者股票高低起跌不但影響正職的工作情緒、集中力；最慘是死慳死抵儲下來的本錢，最後還是成為大戶收割的韭菜。這班人有一個共通點，就是平日花費精打細算，以最少錢得到最多優惠為目標，專吼百貨公司大割引、特價機票的「精明消費者」。他們想發達但沒大志沒願景，認定了一生平庸，賺錢的目標不為大幅改善生活質素，只求賺愈來愈多的錢帶來安全感，因為花錢就等於減少未來的投資回報。久不久就見到某些社交網站以某財演長揸某隻股票十年升過百倍作大標題，並稱之為精明。正所謂人生有幾多個十年，我們永遠不知道有沒有下一個十年；若然錢只累積而不用，賺錢目的是賺錢？世上最笨之事莫過於此。

曾蔭權年代上流機遇

我初期賺到一點錢時，首先解決合理私人空間的問題，再者就是讓身邊家人過一些更優質的生活，那時投資還沒談上。因為你的家人年紀會大健康會退步，仔女亦會長大離家獨立，時機錯過了就永遠追不回來，等日後發達才享甚麼天倫樂之類的全是廢話。好彩是兩老揸拐杖推輪椅去旅行，唔好彩只留下骨灰和一堆用一生努力得來的數字。你要信任自己會進步，信任自己的能力會提升，才會肯花費活在當下。我記得我經濟還不是很充裕時，常帶爸媽到處旅行，直到爸爸行動不便，媽媽身體有毛病為止。慶幸讓他們坐過商務客位，住過五星級酒店，做人就是在有限的資源下盡力，人生便會無悔。

直到居住環境由二百多呎升到五百多呎，就開始買我的第一部車，而我當時的生意已經開始不用擔心，HEA 富體系基礎已完成，可以有時間研究最懶而最有效率的投資——樓市。

當時曾蔭權政府停止拍地賣地勾地，而內地為刺激沙士後的香港經濟，大量開放各省市自由行，當時市面一片暢旺，只是人流太多為市民帶來生活小麻煩。同時開放外國人在港買物業至 650 萬（2010 年提升至 1,000 萬港元），送多一個永久居民身分。當時內地一小撮人富起來，錢和人向外地走是趨勢，兩件事加起來便是房屋零供應，需求卻大增。這是我這一代難得的上流機遇，生意上早已設計為低成本經營，優點是不用留現金運作公司，賺到錢都可以全部拿去買樓。當時買樓的好處是名額不限，沒有雙倍印花稅，也能承造九成按揭，加上公司有額度可再借更盡，當時買了一點，這夠我們一家人生活有保障了。

喜歡享樂的我，就算以前打工時，也一年去三次旅行，近十多年與朋友見面時，他們常說笑：「回港渡假嗎？」與太太成為兩隻沒腳的雀仔，每月到處飛。初期會享受一下沒體驗過的活動，如潛水打 golf 滑雪，後來發現旅遊的目的是開拓眼光心胸的經歷，由一線國家，轉移到二線、三線國家，體驗各個地區的生活方式與習慣。記得有一次在東非，早上看見整條行人路滿是赤腳跑步的人，問導遊才知道這是他們上班的方式，一般跑 45 至 120 分鐘，當然當地有公共交通工具，只是很擠迫，而這是一部分人的選擇。在突尼西亞，在市區看見街上有一個個的小山坡，大概膝頭哥咁高，大人小孩見慣不怪的，一問之下，原來是蟻巢。當地有一半人沒穿鞋子，各人衣服像穿了十年以上，但他們面上的笑容，找遍香港各區也找不到，對外地人非常友善，令我留下深刻印象。

賺錢能改善生活，但不能買到快樂笑容，得失真的這樣重要嗎？去多點旅行就能體會到。更加想不到的是，心態放鬆不強求，反而比以前求財若渴時期，更能看清投資與生意機會。怪不得老人家說：「人追錢難，錢追人易，要錢追著你，首先你不要追著它。」說來很玄，要去領會。

最懶惰投資方式

談到買樓，因為這是最懶惰的投資方式，用幾個月時間邊旅行邊分析，睇啱落注，收租等升值，完，就是這樣簡單。我從不認為自己有甚麼獨特過人的分析能力，只是香港人太忙，沒時間心思空閒去了解，去旅行也是走馬看花，亦喜歡速食文化，知識來自網絡新聞評論財演，欠缺親自體驗入腦過濾，錯失良機也無可厚非。

如問我 HEA 富先決條件是甚麼？就是要盡力令自己清閒。2017 年 4 月我於某報寫過一篇名為《未來五年樓市難跌》的專欄文章；同年 8 月，又寫多一篇《樓市五年內難下跌》，寫兩次同樣題材，除了突顯小弟 HEA 富原則外，還有進一步確認對香港樓市的看法。過去四年，亦不止一次於不同專欄及 YouTube 提出「自住可買，港樓沒有投資價值」的看法。

四年過去，香港經歷社會運動及疫情，中原領先指數由當時 160 點升至現在 186 點（截至 2021 年 6 月 13 日），共 16.3%，不跌預測中了，四年升 16.3% 應該沒人有興趣投資吧。反觀過往四年，我投資在外地樓市的收益，不計算槓桿與收租在內，大概有六成至一倍的回報，當中包括四個國家，馬來西亞升了六成、深圳升了五成、柬埔寨升了一倍，另外一個國家，時機成熟才跟大家說。

必須改變的三種心態

針對外地樓，港人一般有三種看法：第一種，害怕隔山買牛有風險，因為所有有關外地樓的新聞，不是用「爛尾」就是「苦主」等字眼，而所有好消息幾乎都是樓盤廣告。加上香港人根本沒時間去了解研究另一個樓市，認為不熟不買這原則基本實無錯。

第二種則是貪求平價入手，以為全世界買樓都一定不會輸，不做 fact check，只買不問。外地樓投資門檻其實對香港人來說是很高，不是銀碼高，而是獲得知識的難度高。世界沒有一個樓市，是可以坐在電腦旁邊就能確切了解，就算去過當地，一兩次的走馬看花就足夠的話，那在香港生活幾十年的香港人，應該人人都是樓市專家了。

至於第三種是所謂的知識分子，只會買他們認為是法律完善民主自由的一線國家，覺得最安全。日本樓市近五年整體升幅比香港更少，英國倫敦由 2014 至 2019 五年平均數是跌市。而他們忽視的混沌市場，即發展中的國家，就像 80 年代的香港、90 年代的深圳，外地人都會覺得不穩陣，但珍珠永遠藏於不易找到的貝殼裏。二十年前，如果有朋友話買深圳樓，我諗九成人會嗤之以鼻，但這二十年已升了 16 倍。二十年前有朋友買倫敦樓嗎？大概升幅兩倍不夠。

成功的投資者要虛懷若谷，但太多生意人實在太忙，從處理公司內部業務、人事問題，面對市場競爭，追業績追貨款，根本沒時間研究投資，特別是外地樓市，買賣單是憑印象憑感覺。數據不會說謊，感覺不會準確。我們身處 2021 年的香港，各類物業均已升至一個領先全球的超級高位，再想以此 HEA 富投資選擇來發達，你說還有可能嗎？

三大先決條件

世界這麼大，要尋找另一個香港來投資的可能性肯定存在，問題是時間及條件。我選擇投資的國家，先決條件是資金進出的容易程度，再說一次，別憑感覺判斷，以為沒有外匯管制就是自由流通？日本美國等一線國家，因防止外國人漏稅及洗黑錢等理由，從當地提走賣樓後的收益比想像中難及時間長，在日本最長試過超過一年才能全額領回賣樓的資金。相反馬來西亞有外匯管制，我當時賣樓完成相關手續後兩天即可轉回香港，柬埔寨轉美元更加容易。

第二是 GDP 的增長速度，沒有一個地方經濟不增長而樓市長期處於升勢，亦沒有一個國家 GDP 狂升而樓價不升，七、八十年代的日本和香港，近二十年的中國都是超高速的發展。

第三是人口，世界各地其實除了核心區，土地與房屋供應量實在多的是。若人口增長放緩，就會像日本一樣很多空置房屋，特別是城市化率已超過九成的國家，出生率下降成為必然的趨勢，發展中國家的人口紅利是直接推動經濟與樓市的原動力。

要寫下去的話，可以寫另一本書，在此只作簡略說明。總結就是投資目標是賺取回報，不可憑感覺判斷形勢，不可因人、事、地而廢言，白白流失大好機會。

5.2
生意的根

如果生意是一棵樹的話，投資就是樹的根部。我們當然希望樹會茁壯成長，但若然打起十號風球，市道突然急轉直下，就像 2020 年持續一年多的疫情為例，這是不可抗力因素。如果根部生長不穩，只顧做生意不學投資，一下子可將你多年心血吹個煙消雲散；如不是 HEA 富型的傳統生意，不當機立斷壯士斷臂，還可能欠一身債。

有一位曾在地鐵站開飯糰連鎖店的老闆，最高峰有 41 間分店，平均一間賺 10 萬，一個月也賺 410 萬。當生意開始下跌，加上加租，以及請人愈來愈難，一間一間執到零，後來他轉移戰線到自動販賣機，花了三年時間和大量資金研發，回頭一望做了二十幾年生意，剩下來最值錢的東西，正是他當日迫於無奈買回來作為食物工場的工廈單位。

跟前銀行界朋友傾計，他見盡香港生意人的興衰起落。97 前，個個生意人紙醉金迷魚翅漱口；97 後，個個撲水有人跳樓。最後行業式微不懂轉型，晚景還過得不錯的，就是在生意還賺到錢時，問銀行借錢槓桿買物業的一群，再利用物業錢搵錢。就算到了今時今日，很多舊行業的經營者，所賺的利潤已經非常微薄，但依舊可以狂買物業，這就是經營生意的好處，每年穩定的生意額其實也是重要的資產，可以此貸款來買物業。疫情期間，政府的 100% 及 80% 擔保貸款，很多人也借到，最多可達大約一千萬，有銀行職員鼓勵老闆借盡先 full paid 買入物業，再用生意額按回九成，再買再按，再按再買。現在全球印錢，同業拆息低到極，銀行可賺息差加上有物業揸手又有政府擔保根本無得輸，你認為未來幾年物業市場會如何發展呢？至少不會跌吧，升多少就要看那個板塊，不排除甚至會產生泡沫的可能。

誠哥做生意叻係人都知，同時投資財技也是世界級。舉個例子，2004 年李超人在成都買了一塊地，作價 2.1 億，以現金支付，國內房企買地都是銀行貸款，當笑緊佢笨之際，李生在 2006 年已經在銀行借到 2.6 億，計一計多了 5 千萬。基本上等於零成本，十六年後地皮升至 350 億，當中想套現？他已將這地皮分拆股權放在一個附屬公司，賣公司股份即可，還可以省一大筆土地增值稅。難怪李氏家族成為一棵世界樹，強到不能倒下來。

HEA 富生意的特質是本金少，即變相賺到錢可大部分拿來投資，我們只需要做到誠哥的萬分之一、億分之一，HEA 富已經沒難度，這就是我常常強調的「方向」。成功沒有一定方法，但生意加投資這方向不會改變。

生意與人生一樣，有起有落，叻到誠哥咁都有三次沒頂之災。我們這些小角色，重點是賺到錢時，如何把錢留下是第一階段；第二階段是懂得以錢賺錢；第三階段是睇通時勢，用盡槓桿大賺一筆。人生最少有三次這樣的機會，問題是機會來到時，你心態準備好沒有？知識準備好沒有？本金準備好沒有？人脈準備好沒有？更加重要的是，你有時間有足夠空閒去分析來找出這機會嗎？ HEA 是要來這樣用，一日忙到黑，這些機會根本不屬於你。

後記

生意及投資要做得成功，要配合個人性格，九形人格也將人簡略分成 9 種，同樣地生意及投資形式也有很多樣化。同是做醫生，有人成立醫療集團、有人建立聯網診所、有人獨自開診所，有人從事教育，有人為理念成為無國界醫生，到貧困地區工作。同理，投資形式也有數之不盡的種類，有著重長線回報，有專注短期收益。

選擇一生的事業方向，與選擇另一半同樣重要，重點是對自己的理解，與自己的性格相配。李嘉誠在初踏入地產業之初，就以超越和記九倉為目標，當時是蛇吞象式的想法，但最後他超越當時比他更有優勢的何東、各大洋行等，成為華人首富。雖然李嘉誠只得一個，但甚麼人做甚麼事，你絕對可以在某些方面比他出色。

賭性重的人能成就大事業，但若然數口不精亦有破產收場的可能。重點是相配，除了配合性格，還有時勢與行業，打工就是了解自己的過程，像拍拖一樣，要經歷分手、後悔、心痛、站起，才會成長及了解甚麼最適合自己。

Hea 富學是跟我性格最相配，而另闢蹊徑的一門獨創致富方法。在有限的資源、能力下，享受到最大限度的自由與經歷為目標。你可能不認同當中一些想法與做法，我只希望這本書能令你帶來生意上的一點啟發與動力，為未來生活帶來多一分選擇權，已達到本書的初衷。香港已發展得很成熟，要在當中找到 Hea 富機會愈來愈不容易，要賺錢、要成功，首先要保持熱情，認清正確方向不急不忙不斷尋找，終會找到屬於你的 Hea 富之路，各位加油。

生意做小眾就夠你豐衣足食，要精做

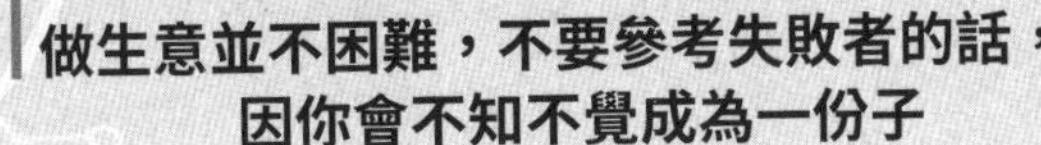
做生意並不困難，不要參考失敗者的話，
因你會不知不覺成為一份子

enlighten 亮
&fish 光

書　　名：Hea富生意學
　　　　　脫離chur窮打工生涯
作　　者：郭釗

出 版 社：亮光文化有限公司
　　　　　Enlighten & Fish Ltd
編　　輯：亮光文化編輯部
設　　計：Constance Lam
地　　址：新界火炭坳背灣街61-63號
　　　　　盈力工業中心5樓10室
電　　話：（852）3621 0077
傳　　真：（852）3621 0277
電　　郵：info@enlightenfish.com.hk
網　　店：www.signer.com.hk
面　　書：www.facebook.com/enlightenfish

2021年7月初版
2021年8月二版

ISBN 978-988-8716-77-7
定　　價：港幣一百六十八元

法律顧問：鄭德燕律師